Wilhelm Gottwaldt

Wissenschaft contra Bibel?

Die Zuverlässigkeit der Bibel im Licht moderner Wissenschaft

Hänssler-Verlag
Neuhausen-Stuttgart

Dieses Buch ist eine Veröffentlichung der TELOS-Verlagsgruppe. TELOS-Taschenbücher und TELOS-Paperback-Ausgaben sind „zielbewußt", wegweisend und biblisch orientiert. TELOS-Bücher können Sie unbedenklich weitergeben, sie wurden verantwortlich ausgewählt.

ISBN 3 921113 10 5

Originalausgabe
1. Taschenbuchauflage 1969
2. Taschenbuchauflage 1970
3. Taschenbuchauflage 1971

Umschlagentwurf: Heinz Knaus
Gesamtherstellung: St.-Johannis-Druckerei C. Schweickhardt
763 Lahr-Dinglingen
Printed in Germany 11874/1971

Inhaltsverzeichnis

Vorwort

Die Bibel ist ein sehr umkämpftes Buch. Für die einen gilt sie als unsinnig und voller Irrtümer, für andere bedeutet sie ein ehrwürdiges Buch mit wertvollem Inhalt, doch in mancher Beziehung unmodern und im Licht moderner Wissenschaft einigermaßen überholt. Für eine dritte Gruppe Menschen offenbart sie höchste Wahrheit und umgestaltende Kraft.

Dieses vorliegende Büchlein soll im Widerstreit der heutigen Meinungen Brücken über Probleme und Zweifel hinweg bauen und den Weg zur Klarheit und zur echten Freude an der Bibel bahnen.

Infolge der Fülle des biblischen Inhalts ist es natürlich unmöglich, auf alle problematischen Bibelstellen einzugehen. Ich habe daher nur solche Berichte der Heiligen Schrift ausgewählt, die weithin bekannt und besonders umstritten sind.

Die Urschöpfung und die erste Weltkatastrophe

Am Anfang schuf Gott Himmel und Erde. Und die Erde war wüst und leer, und es war finster auf der Tiefe; und der Geist Gottes schwebte auf dem Wasser. 1. Mose 1, 1. 2

Die Wissenschaft befindet sich in einem unerhörten Siegeszug. Man entdeckt Dinge, die phantastisch sind, und dringt in Welten ein, die eine ungeahnte Tiefe zeigen. Die Astronomie zum Beispiel hat einen Weltkörper festgestellt — den Nebelfleck 3 C 295 —, der fünf Milliarden Lichtjahre von unserer Erde entfernt ist, d. h. daß das Licht, welches in einer Sekunde etwa 300 000 Kilometer zurücklegt, mit dieser großen Geschwindigkeit fünf Milliarden Jahre benötigt, um von dort zur Erde zu kommen. Welch große Entfernungen vermag der Menschengeist zu überwinden! Inzwischen ist es in der Weihnachtszeit 1968 den Amerikanern gelungen, eine mit drei Männern besetzte Rakete bis zum Mond und zu einer mehrmaligen Mondumkreisung zu bringen — eine gewaltige Leistung der modernen Wissenschaft.

Ferner hat die Technik Instrumente erfunden, mit denen man unglaubliche Wirkungen erzielen kann. Zum Beispiel vermag man mit Hilfe der sogenannten Infrarot-Wärmekamera Photographien herzustellen, die tatsächlich märchenhaft anmuten[1]*. So hat man drei leere Stühle photographiert, von denen zwei noch vor kurzer Zeit von Männern besetzt waren. Nachdem diese zwei Personen etwa eine Viertelstunde vorher die Stühle und den Raum verlassen hatten, offenbarte die Photographie dieser Kamera noch die ungefähre Größe und Gestalt der Männer, die auf den Stühlen gesessen

* Siehe diese und die fortlaufend numerierten Anmerkungen Seite 91

hatten, ja sogar, daß einer von ihnen mit gekreuzten Beinen dagesessen hatte.

Die Geschwindigkeit, mit der die Menschen sich bewegen können, nimmt ständig zu. Nicht nur die großartigsten Düsenmaschinen erhöhen ihre Geschwindigkeit, sondern man ist gegenwärtig allen Ernstes dabei, ein Verfahren zu suchen, mit dem man das Schema eines Menschen von einem Ort zum anderen telegraphieren kann. Norbert Wiener, einer der Mitbegründer der modernen Wissenschaft der Kybernetik, hält die Verwirklichung dieses Projekts für durchaus möglich. Ja, die Erfindung von neuen, Unglaubliches leistenden Maschinen schreitet so rüstig vorwärts, daß der Forscher Arthur C. Clarke die Möglichkeit voraussieht, daß die Denkmaschinen der Zukunft sich der Kontrolle des Menschen entziehen und selber die Herrschaft über den Menschen antreten könnten[2]. Der berühmte Mathematiker John v. Neumann hat das Modell einer Maschine konstruiert, die fortpflanzungsfähig, also zur Vermehrung befähigt ist[3].

Diese wenigen Beispiele zeigen die Großartigkeit der heutigen Wissenschaft, vor der wir alle Achtung haben und über deren Erfolge, soweit sie zum Guten der Menschheit sich auswirken, wir uns freuen. Es läßt sich daher durchaus verstehen, daß der moderne Mensch, der über diese Errungenschaften des Menschengeistes Stolz empfindet, hinter die Berichte der Bibel Fragezeichen setzt, daß er Wundererzählungen anzweifelt und die Botschaft einer göttlichen Welt, die sich nicht mit Mikroskop und Fernrohr nachweisen läßt, für unglaubhaft hält. Deshalb ist es sehr wichtig, daß wir die Zuverlässigkeit der Bibel im Licht moderner Wissenschaft gründlich prüfen. Ein Hauptpunkt moderner Angriffe ist der Schöpfungsbericht der Bibel, 1. Buch Mose, Kapitel 1.

Im 1. Vers dieses Kapitels wird ganz klar und deutlich die Behauptung aufgestellt: „Am Anfang schuf Gott Himmel und Erde.“ Was sagt nun die heutige Wissenschaft über den Anfang von Himmel und Erde? Sie sucht das Alter des Weltalls zu errechnen, kommt allerdings dabei zu sehr verschiedenen Resultaten. Die meisten Gelehrten glauben, daß das Weltall vor etwa drei Milliarden bis zehn Milliarden Jahren entstanden sei. Ja, der amerikanische Forscher S. S. Kumar vom Observatorium für Astro-Physik in Washington nimmt an, daß das Weltall sogar seit etwa 32 Milliarden Jahren existiert. Wir sehen also, daß die so gründlich forschende Wissenschaft hier völlig im Dunkeln tappt, indem sie keinerlei sicheres Alter des Kosmos angeben kann.

Hierbei ist zu bedenken, daß überhaupt jede Datierung der Entstehung der Welt, wenn man ganz sachlich denkt, unmöglich ist. Denn erstens hat man vor nicht allzulanger Zeit wissenschaftlich erkannt, daß neben der Materie unserer Welt eine Spiegelbildmaterie besteht, die man Anti-Materie nennt. Die Anti-Welt oder Anti-Materie ist mit unserer Welt genau identisch, ist jedoch ein Spiegelbild unserer Welt. Wie man annimmt, läuft in der Anti-Materie die Zeit rückwärts. Daher weisen Gelehrte mit Recht darauf hin, daß wir hinsichtlich des Zeitproblems sehr vorsichtig umgehen müssen und gewiß noch vieles Unglaubliche entdecken werden.

Zweitens schreibt Prof. Dr. Wilder-Smith: „Als die Welt erschaffen wurde, müssen ganz andere Gesetze geherrscht haben als die, die wir heute kennen[4].“ Auch Dr. Rudolf Liebig, ein Fachgelehrter, äußert sich so: „Wenn am Anfang des Weltgeschehens sich die Materie in einem extremen Zustand befand, dann war wohl (nach der allgemeinen Relativitäts-Theorie) auch die Struktur der Zeit dementsprechend verändert. Wir müssen also damit rechnen, daß unser heutiges Zeitmaß ‚damals' nicht anwendbar war[5]."

Drittens betont Prof. Dr. Wilder-Smith sehr richtig: „Die ‚wissenschaftliche' Tätigkeit des Menschen erstreckt sich über eine Periode von höchstens 10 000 Jahren, aber anhand dieser kurzfristigen Beobachtungen will man um Millionen von Jahren in die Vergangenheit zurückextrapolieren[6]."

Die Bibel gibt überhaupt keine Zahl für das Alter des Weltraums oder der Erde an. Nüchtern und klar verkündet sie: „Am Anfang schuf Gott Himmel und Erde." Mit dem Anfang meint Gottes Wort eben den Zustand der Welt, bevor Materie und Zeit existierten, ohne daß wir Menschen wissen können, wann die Welt begann. Wichtig ist, daß die Heilige Schrift in diesem ersten Vers im hebräischen Urtext für das Wort „schuf" ein Wort gebraucht, das eine Schöpfung aus dem Nichts bedeutet. Professor Mag. Frey bemerkt dazu in seinem „Buch der Anfänge": „An dem Worte, das die Bibel hier im Urtext für ‚schuf' braucht, haftet der Begriff des Wunderbaren, der Wundertat. Es steht im Gegensatz zur Vorstellung von der Entwicklung, wie moderne Wissenschaft sie prägte[7]." So behauptet also die Bibel, daß die Welt aus dem Nichts geschaffen wurde. Auch die heutige Naturwissenschaft hält die Überzeugung von einem zeitlichen Beginn der Welt durchaus für möglich und nicht als im Widerspruch stehend mit den Forschungsergebnissen neuester Zeit. Ja, man kann sogar sagen, daß die Mehrzahl der heutigen Physiker einen zeitlichen Anfang des Weltalls für die beste Deutung aller wissenschaftlichen Beobachtungen hinsichtlich der Weltentstehung hält.

Nun verkündet Gottes Wort, daß diese erste Schöpfung, diese Urschöpfung, durch eine Katastrophe

„wüst und leer“ geworden ist. Luther übersetzt: „Die Erde war wüst und leer.“ Das im hebräischen Urtext befindliche Wort für „war“ kann auch mit „wurde“ übersetzt werden, wie Professor Eduard König, einer der bedeutendsten Kenner der hebräischen Sprache, bestätigt. Die Übersetzung „die Erde wurde wüste und leer“ ist besonders naheliegend, wenn wir erkennen sollten, daß die Urschöpfung tatsächlich durch eine Katastrophe zerstört wurde.

Ist nun die Annahme berechtigt, daß die Urschöpfung durch eine erste Weltkatastrophe wüst und leer wurde? Auf die Richtigkeit dieser Annahme deutet zunächst hin, daß die Wortverbindung tohu und bohu („wüst und leer“) im Alten Testament nur gebraucht wird an Stellen, wo es sich nicht um einen noch nicht geformten wüsten Zustand handelt, der von Anfang an so war, sondern stets um einen Zustand, der ursprünglich geordnet und gut war, dann aber durch eine Katastrophe zerstört wurde. Beide Worte tohu und bohu stehen im Urtext auch in Jesaja 34, 11 und Jeremia 4, 23. In Jesaja 34, 11 heißt es: „. . . Denn er wird eine Meßschnur darüber ziehen, daß es wüst werde, und ein Richtblei, daß es öde sei.“ Hier weissagt der Prophet, daß Edom durch ein Gottesgericht (Jes. 34, 8) verheert werden wird. Ein ähnliches Gottesgericht schaut Jeremia in bezug auf das Land Juda voraus in Jeremia 4, 23: „Ich schaute das Land an, siehe, das war wüst und öde, und den Himmel, und er war finster.“ An beiden Schriftstellen finden wir tohu und bohu als Bezeichnung eines wüsten und leeren oder öden Zustands, der jedoch erst nach einer gewaltsamen Zerstörung eintrat. Den gleichen Gedanken in bezug auf die Weltschöpfung drückt wohl auch die Schriftstelle Jesaja 45, 18 aus: „Denn so spricht der Herr, der den Himmel geschaffen hat, der Gott, der die Erde bereitet hat und hat sie gemacht und zugerichtet — und sie nicht gemacht hat, daß sie leer (tohu) sein soll, sondern sie bereitet hat, daß man darauf wohnen soll." (Nach Luther.) Mithin bezeichnet der hebräische Ausdruck eine Katastrophe, die über einen vorher geordneten Zustand hereingebrochen ist. Professor Franz Delitzsch erklärt das Tohu wa bohu als „die glühende materialische Masse, zu welcher Gottes Zorngericht die durch den Geisterfall verderbte ursprüngliche Welt zusammenschmolz[8]". Auch Professor Delitzsch nimmt also eine erste Weltkatastrophe an, deren Ursache er in einem Gottesgericht sieht.

Was aber sagt die moderne Wissenschaft zu der Annahme dieser ersten Weltkatastrophe? Sie bestätigt die Tatsache mannigfacher Katastrophen im Kosmos. Eine besondere Katastrophenart stellen z. B. die Novae-Sterne und Supernovae-Sterne dar. Sie flammen plötzlich bis zur über 20 000-fachen Helligkeit der Sonne auf, ja, die Supernovae bis zur mehr als 300 000 000-fachen Leuchtkraft der Sonne. Man hat bisher mehr als 200 solche Novae und fast 100 Supernovae gezählt, also im ganzen etwa 300 derartige Sternkatastrophen. Warum könnte nicht eine ähnliche Katastrophe über die Urschöpfung hereingebrochen sein? Außerdem erklären moderne naturwissenschaftliche Weltentstehungstheorien den feurigen Urweltnebel, aus dem die Weltkörper des Kosmos hervorgegangen sein sollen, als Ergebnis einer kosmischen Urkatastrophe. So äußert sich der Astronom Dr. W. Meyer: „Nach diesem allen können wir es wohl kaum bezweifeln, daß der erste Impuls zu jener kreisenden Bewegung von Weltmassen, die wir später sich zu Sonnensystemen zusammenballen sehen, ein Zusammenstoß zweier Weltkörper oder Nebelmassen oder Ansammlungen von Materie in ihren verschiedensten Dichtigkeitszuständen gewesen ist . . . Wir nehmen an, daß jene Welt, welche sich so in ihren Urzustand aufgelöst hat, einstmals bessere Tage sah, ehe sie in diesem Untergang zerfiel[9]."

Aus welchem Grunde brach damals ein Gottesgericht über die Welt herein? In der Urschöpfung existierten keine Pflanzen, Tiere und Menschen, sondern diese Welt war eine Welt der Geister und Engel. Der zweite Petrusbrief, Kapitel 2, Vers 4 berichtet: „Gott hat die Engel, die gesündigt haben, nicht verschont . . . " Petrus weiß also durch Offenbarung Gottes von einem Abfall der Engel in der Urschöpfung. Auf dasselbe Ereignis weist Judas in seinem Brief Vers 6 hin: „Auch die Engel, die ihr Fürstentum nicht bewahrten, sondern verließen ihre Behausung . . ." So erklärt uns die Bibel, daß diese erste Weltkatastrophe, die über die Urschöpfung und die dort wohnende Engelwelt hereinbrach, durch den Abfall von Engeln verursacht wurde. Wir dürfen hinzufügen, daß damals durch den Abfall von Gott der führende Engel zum Teufel wurde. Professor Dr. Freiherr von Huene, ein weltbekannter und führender Paläontologe und Saurierkenner der Gegenwart, schreibt: „Lange Zeitperioden später, in Genesis 1, 2, sehen wir auf der Erde, die Gott viel früher geschaffen und gegründet hatte (Gen. 1, 1 und Hiob 38, 4 ff.), etwas Neues beginnen, denn was Gott schuf, war wohl nicht von Anfang an ‚wüste und leer'. Auch Jeremia 4, 23 erinnert daran: ‚Ich sah die Erde, und siehe, sie war wüste und leer, und zum Himmel, aber er war ohne Licht!' Zwischen dem ersten Vers der Bibel und dem ersten Schöpfungstag scheint ein großer Abstand und Gegensatz zu bestehen. Es ist etwas Neues dazugekommen; die Finsternis, die Nacht, die an der Zusammensetzung des ersten wie der folgenden Schöpfungstage einen wesentlichen Anteil hat . . . Das Reich der Finsternis, des Fürsten dieser Welt, war nun mitbestimmend im Sechstagewerk der Schöpfung, nachdem der Anfang ein ganz anderer gewesen ist." An einer anderen Stelle schreibt Professor Dr. Freiherr von Huene: „Dann wurde der Himmel geschaffen, danach die Erde (Gen. 1, 1). In jenem Anfang schuf Gott die Grundlagen von allem, was geschaffen ist. In jener Herrlichkeit gab es keine Finsternis. Erst mit dem zweiten Vers von Genesis 1 ist alles anders. In diese Lücke gehört der Fall des Satans mit all den Mächten, die zu ihm gehörten[10]."

Gott aber in seiner Gnade wollte nicht, daß seine Schöpfung zerstört bleibt und in ihr das Unheil regiert. Darum schreibt die Bibel im zweiten Vers des ersten Kapitels, daß der Geist Gottes auf dem Wasser und auf dem Durcheinander der vom Zorngericht Gottes zerstörten Urerde schwebte. Wichtig und interessant ist es, wiederum nach dem biblischen Urtext festzustellen, was dieses Wort rachaph, das Luther mit „schweben" übersetzt, im Ursinn bedeutet. Das bekannte „Hebräische Handwörterbuch" von Wilhelm Gesenius sagt, daß das hebräische Wort rachaph von dem „über seinen Jungen schützend schwebenden Adler" spricht. „Der Geist Gottes schwebte auf dem Wasser" heißt also, daß Gott schützend über der gerichteten Urwelt schwebt wie ein Adler über seinen Jungen. Der Allmächtige offenbart also rettende Absichten. Er hält seine Gnade bereit auch für eine Welt, die unter dem Gericht steht.

Materie aus Licht

Und Gott sprach: Es werde Licht! und es ward Licht. Und Gott sah, daß das Licht gut war. Da schied Gott das Licht von der Finsternis und nannte das Licht Tag und die Finsternis Nacht. Da ward aus Abend und Morgen der erste Tag.

1. Mose 1, 3—5

Nach der ersten Weltkatastrophe wird uns im Schöpfungsbericht der Bibel erzählt, daß Gott die zerstörte Urschöpfung wieder aufbaute. Am Anfang dieses Wiederaufbaus steht der erste Schöpfungstag: „Es werde Licht!" Es ist zu beachten, daß hier nicht das Licht der Sonne gemeint sein kann, weil die Sonne ja erst am vierten Schöpfungstag von Gott gestaltet wird. Auch Professor Dr. Rohrbach sagt: „Dieses Licht ist noch nicht die Sonne. Es ist vielmehr die Energie, naturwissenschaftlich ausgedrückt, das Schwingungsfeld, von dem ich vorhin sprach, das unseren Kosmos darstellt[11]." Professor Rohrbach weist nämlich in diesem selben Vortrag zuvor darauf hin, daß das ganze Weltall „ein riesiges Schwingungsfeld" darstellt, „in dem sich aus uns unerklärlichen Gründen Schwingungen zu schnell beweglichen Energieballungen verdichten[12]". Es handelt sich also nicht um das Licht der Sonne, sondern Gott hat am ersten Schöpfungstag die allgemeine Strahlung, welche die Grundlage aller Materie ist, ins Dasein gerufen. Hierzu bemerkt der bedeutende Astrophysiker Professor Jeans, ein Gelehrter von weitreichender Geltung, in seinem Buch „Materie und Strahlung": „Diese Auffassungen (moderner Physiker) führen das ganze Weltall auf eine Welt potentiellen oder wirklich vorhandenen Lichts zurück, so daß die ganze Schöpfungsgeschichte mit absoluter Genauigkeit und Vollständigkeit in den sechs Worten erzählt werden kann: ‚Und Gott sprach: Es werde Licht!'"

Interessant ist es zu beobachten, wie die moderne Naturwissenschaft immer wieder betont, daß alle Materie aus Urstrahlung entstanden ist. So sagt Professor Rohrbach ausdrücklich: „Materie ist Energie, Strahlung, nicht aber Substanz[13]", und Bischof Otto Spülbeck spricht diese Beobachtung so aus: „Materie ist ein Sonderfall räumlich verdichteter Energie[14]." Wir sehen also, daß die Bibel vollkommen recht hat, wenn sie an den Anfang des Wiederaufbaus der zerstörten Urschöpfung die Schöpfung der Urstrahlung, des Urlichts stellt.

Die Feste zwischen den Wassern

Und Gott sprach: Es werde eine Feste zwischen den Wassern, und die sei ein Unterschied zwischen den Wassern. Da machte Gott die Feste und schied das Wasser unter der Feste von dem Wasser über der Feste. Und es geschah also. Und Gott nannte die Feste Himmel. Da ward aus Abend und Morgen der andere Tag. *1. Mose 1,6—8*

Gottes Wort berichtet: „Gott sprach: Es werde eine Feste zwischen den Wassern." Von vornherein muß hier das Mißverständnis abgewiesen werden, daß Gottes Wort die Erde als eine Scheibe darstellt, über die sich wie eine Kristallglocke der Himmel wölbt, so wie es manche Mythologen des Altertums schildern. Nirgends in der Bibel wird darauf hingedeutet, daß die Erde eine Scheibe sei. Im Gegenteil betont Jesus in seinem Wort Lukas 17, 34—36 im Widerspruch zu der Volksmeinung seiner Zeit, daß die Erde eine Kugel ist. Denn wenn an dieser Bibelstelle verkündigt wird, daß die Entrückung der christusgläubigen Gemeinde so stattfinden wird, daß zwei in der Nacht im Bett liegen und zu derselben Zeit zwei Menschen an der Mühle mahlen und zwei auf dem Felde arbeiten werden, so kann dies nur so verstanden werden, daß auf der einen Kugelhälfte das Ereignis der Entrückung bei Nacht geschehen wird, während gleichzeitig auf der anderen Seite der Erdkugel heller Tag herrscht, so daß sich Leute an der Arbeit befinden.

Was versteht nun die Bibel unter der „Feste", die über der Erde die Wasser scheiden soll? Hören wir zunächst wieder einmal, was Professor Dr. Rohrbach, der Mathematiker aus Mainz, dazu sagt. Er schreibt: „Meines Wissens aber bedeutet das hebräische Wort ‚rakiah' nicht so sehr ‚Feste', sondern ‚Ausdehnung' oder ‚Raum' und bezeichnet offensichtlich die unsere Erde umgebende Lufthülle[15]." Professor Dr. Morris definiert die „Feste" folgendermaßen: „Die ‚Feste' war einfach die Atmosphäre, ‚Himmel' genannt, worin später die Vögel fliegen und das Licht der Sonne und des Mondes verteilt werden sollte[16]." Ferner kennzeichnet an einer anderen Stelle Professor Rohrbach diese Feste in folgender Weise: „Die ‚Feste', die in 1. Mose 1 genannt wird, darf nach meiner Meinung mit dem Van-Allen'schen Strahlungsgürtel gleichgesetzt werden, der sich in rund 10 000 Kilometer Höhe über der Erde befindet und eine Dicke von mehreren tausend Kilometern besitzt, ein ionisierender Gürtel, der dazu bestimmt ist, die Erde vor dem kosmischen Regen zu schützen[17]." Die Erdkugel ist also außer der Luftschicht, der Atmosphäre, von diesem Strahlungsgürtel umschirmt. Ja, noch etwas anderes gehört zu dieser „Feste", mit welcher Gott die Erde umgab. Der Weltraum ist nämlich nicht leer, sondern enthält Materie. Wissenschaftlich ausgedrückt wird der Raum zwischen den Sternen von der sogenannten interstellaren Materie ausgefüllt. Diese Materie ist ganz fein verteilt. Sie besteht u. a. aus Atomen, Elektronen, Wasserstoff, Sauerstoff, Helium, Eisen und anderen klassischen chemischen Elementen. Wenn man das biblische Wort des Urtextes, welches Luther mit „Feste" übersetzt, nach seiner tiefsten Sprachbedeutung durchforscht, so bedeutet das Wort „rakiah": „Breitgeschlagenes", „Ausgebreitetes", also äußerst fein verteilte Materie. Diese ist im Weltraum bereits nachgewiesen durch besondere Instrumente, die man bei kosmischen Experimenten an den Raketenköpfen befestigt hat. Zusammenfassend ist daher zu sagen, daß die „Feste", von der die Bibel redet, die Atmosphäre und die feinst verteilte Materie im Weltraum einschließlich des Van-Allen'schen Strahlungsgürtels bedeutet.

Was versteht nun die Bibel darunter, daß diese

Feste die Wasser oberhalb der Feste von den Wassern unterhalb der Feste trennen soll? Die letzteren sind ohne weiteres als alle Gewässer auf Erden zu erkennen, z. B. Quellen, Flüsse und Meere. Mit den Wassern oberhalb der Feste ist nicht nur die Masse der Wolken, sondern auch eine große Wasserdunstdecke gemeint, die vor der Sintflut wie ein Baldachin die Erde umgab[18]. Diese Wasserdampfdecke existiert jetzt nicht mehr, weil sie zur Zeit der Sintflut als Niederschlag auf die Erde abgeregnet ist. Davon stammten die ungeheuren Wassermassen, die in einem wochenlangen Dauerregen die Erde überfluteten. Damals jedoch, als Gott die Feste schuf, wurde diese Wasserdampfdecke durch die Feste von dem Wasser unterhalb der Feste getrennt.

Ohne Zusammenhang mit dieser „Feste“ redet die Bibel auch davon, daß der Weltraum, der astronomische Himmel, der deutlich unterschieden wird von dem überweltlichen Himmel, in welchem Gott mit den Engeln und den Seligen wohnt (z. B. Psalm 2, 4; 11, 4; 115, 3), nicht unendlich, sondern begrenzt ist (Matth. 24, 31; Mark. 13, 27). Dieselbe Meinung vertritt auch die heutige Wissenschaft. So schreibt Professor Dr. Schaaffs: „Nach der allgemeinen Relativitätstheorie ist der Raum endlich, sein Durchmesser läßt sich mit 10^{23} km abschätzen[19]!“ Professor Dr. Rohrbach sagt: „Der Raum, das Weltall, ist zwar riesig in seiner Ausdehnung, aber doch endlich, d. h. besitzt einen endlichen Rauminhalt[20].“ Der Astrophysiker Professor Eddington schätzt den Durchmesser des Weltraums auf 39 000 Trillionen Kilometer, eine Zahl, die als 39 mit 21 Nullen geschrieben werden muß. Der Astrophysiker Jeans, den wir schon erwähnten, gibt den Durchmesser des Weltraums mit 1 1/2 Quadrillionen Kilometern an, d. h. eine 15 mit 23 Nullen. Der berühmte Physiker Einstein schätzt den Durchmesser des Weltalls auf 200 Quadrillionen Kilometer (2 mit 26 Nullen). Wenn auch all diese Schätzungen des Weltraumdurchmessers recht verschieden aussehen, so sind sich die Gelehrten doch darin einig, daß der Weltraum „kugelförmig", also begrenzt ist.

Das Wunder des Wassers und des Landes

Und Gott sprach: Es sammle sich das Wasser unter dem Himmel an besondere Örter, daß man das Trockene sehe. Und es geschah also. Und Gott nannte das Trockene Erde, und die Sammlung der Wasser nannte er Meer. Und Gott sah, daß es gut war. Und Gott sprach: Es lasse die Erde aufgehen Gras und Kraut, das sich besame, und fruchtbare Bäume, da ein jeglicher nach seiner Art Frucht trage und habe seinen eigenen Samen bei sich selbst auf Erden. Und es geschah also. Und die Erde ließ aufgehen Gras und Kraut, das sich besamte, ein jegliches nach seiner Art, und Bäume, die da Frucht trugen und ihren eigenen Samen bei sich selbst hatten, ein jeglicher nach seiner Art. Und Gott sah, daß es gut war. Da ward aus Abend und Morgen der dritte Tag. *1. Mose 1, 9—13*

Die Zuverlässigkeit der Bibel im Licht moderner Wissenschaft zeigt sich auch am dritten Schöpfungstag. Betrachtet man die Stellung der Erdkugel im Weltraum, so bildet die Erdachse einen Neigungswinkel von 23½ Grad im Verhältnis zu der Ebene ihrer Umlaufbahn um die Sonne. Nun haben Wissenschaftler nachgerechnet, welches wohl der vorteilhafteste Neigungswinkel der Erdachse wäre, damit das günstigste Klima und die besten Lebensbedingungen auf der Erde herrschten. Die mathematische Rechnung ergab, daß der optimale Neigungswinkel der Erdachse gegenüber der Ebene ihrer Bahnkurve zwischen 23 und 24 Grad liegen muß. Es ist erstaunlich, wie weise der göttliche Mathematiker also den Neigungswinkel der Erde konstruiert hat.

Am dritten Schöpfungstag hat Gott nach dem Bericht der Bibel Festland und Meer voneinander geschieden. Auch hier haben wissenschaftliche Berechnungen gezeigt, daß das Verhältnis von Festland und Meer gegeneinander genau abgewogen ist. Es ist genügend Festland vorhanden für die Entwicklung und Ausbreitung des Tier- und Pflanzenlebens, und andererseits existiert nicht so viel Festland, daß das Klima der Erde dadurch ungünstig beeinflußt würde. Betrachten wir ferner das Meer, so erkennen wir, daß wirklich kein Zufall gewaltet haben kann, als das Meer geschaffen wurde, sondern daß ein weiser Schöpfer alles herrlich berechnet und geleitet hat. Es ist bekannt, daß stehende Wasser nach einiger Zeit stinkend werden, weil sich in ihnen allmählich Fäulnis entwickelt. Um dies zu verhindern, hat Gott in das Wasser des Meeres drei bis vier Prozent Salz gegeben, welches dazu beiträgt, daß die Fäulnis im Meer bekämpft wird. Doch würde das Salz allein nicht Fäulnis verhindern können, wenn das Wasser nicht gut durchgerührt würde. Auch dafür hat der kluge Baumeister der Welt gesorgt, daß das Meerwasser dauernd in Bewegung gehalten wird. Zunächst bewirken die Stürme, daß das Wasser nicht stille steht. Aber auch die stärksten Orkane sind in dreißig Meter Tiefe kaum noch spürbar. Daher hat Gott Meeresströmungen in den Ozeanen geschaffen, die ebenfalls dazu beitragen, daß das Meerwasser durcheinandergemischt wird. Aber sogar diese Meeresströmungen wirken höchstens bis zu einer Tiefe von zweihundert Metern. Damit jedoch das Meer von Grund auf bewegt wird, hat Gott Ebbe und Flut eingesetzt. Man weiß, daß der Mond den Meeresspiegel um etwa fünf bis sechs Meter in die Höhe hebt und sodann wieder hinuntersinken läßt. Dieses Spiel von Ebbe und Flut greift machtvoll bis in die Tiefe der Ozeane hinein, so daß diese tatsächlich gründlich bewegt und umgerührt werden[21].

Interessant ist auch, daß das Meer ungeheure Schätze enthält. Chemisch gelöst, befinden sich im Wasser der Meere schätzungsweise acht Milliarden Tonnen Gold und etwa siebenhundert Milliarden Kilogramm Silber. Welch eine reiche Schöpfung breitet sich vor unseren Blicken aus!

Man kann oft die törichte Redensart hören, daß dies

alles von selber, gleichsam automatisch, sich entwickelt habe, ohne daß die schöpferische Person Gottes dahinterstünde. Bedeutende Gelehrte haben geprüft, mit welcher Wahrscheinlichkeit z. B. das Leben auf der Welt sich von selbst „durch Zufall" entwickelt haben könnte. Professor Guye, ein hervorragender Schweizer Mathematiker, hat berechnet, daß gegen die Wahrscheinlichkeit einer automatischen Entstehung eines Moleküls irgendeiner einfachen eiweißähnlichen Substanz eine Unwahrscheinlichkeit von 100^{160} steht. Die Materialmenge, die zu einer solchen zufallmäßigen Entstehung eines eiweißähnlichen Moleküls nötig wäre, müßte weit größer sein als der Gesamtinhalt des Weltalls. Die Zeit, die nach mathematischer Rechnung erforderlich wäre, um diese zufällige Entwicklung zum eiweißähnlichen Stoff zu bewirken, beträgt nach mathematischer Wahrscheinlichkeitsrechnung 10^{242} Jahre, d. h. eine 243stellige Zahl[22]. Der Biologe Conklin, Professor an der Princeton-Universität, hat die Unwahrscheinlichkeit einer zufälligen Entwicklung des Lebens so ausgedrückt: „Die Wahrscheinlichkeit, daß das Leben durch Zufall entstanden ist, ist vergleichbar mit der Wahrscheinlichkeit, daß ein vollständiges Wörterbuch das Ergebnis einer Explosion in einer Druckerei ist."

Gottes Wort berichtet uns nun, daß am dritten Schöpfungstag auf dem Festland die Pflanzen geschaffen wurden. Auch da können wir logischerweise nicht an eine Zufallsentwicklung ohne göttliche Leitung glauben. Dr. Hitzbleck weist z. B. darauf hin, daß alle menschlichen Schöpfungen, solange sie nicht fertig sind, z. B. ein halbfertiges Haus, eine unbrauchbare Ruine darstellen, während die Pflanzen und die Tiere in jedem Zeitpunkt ihrer Entwicklung vollständig sind, d. h. eine einzigartige Weisheit ihres Schöpfers offenbaren[23].

Beim Blick auf die Pflanzenwelt entdecken wir weitere unzählige Wunder Gottes. Es soll nur an einige wenige erinnert werden. Zum Beispiel bemerkte die Tochter des berühmten Botanikers Linné im Jahre 1762, daß gewisse Blumenarten bei warmer Witterung abends von Zeit zu Zeit blitzartig aufleuchteten, und zwar wurde dies an der Kapuziner-Kresse, an Mohnblüten, an der Feuerlilie und anderen Pflanzen beobachtet. Dieses Phänomen ist bis heute noch nicht endgültig geklärt. Man nimmt an, daß es sich dabei um elektrische Erscheinungen handelt.

Ein weiteres Wunder bedeutet die Nutzung der Sonnenenergie durch das Chlorophyll der Pflanzen. Dieses Blattgrün besteht aus winzigen grünen Scheiben, die bei starker Sonneneinwirkung sich hochkant stellen oder sinken. Bei bewölktem Himmel jedoch kehren sie automatisch ihre Breitseite dem Himmel zu oder steigen in der Zelle hoch, so daß der Einfluß des Sonnenlichtes je nach seiner Stärke genau reguliert wird.

Der neueren Forschung ist es gelungen, zu erkennen und darzustellen, daß jede Farbe ihren besonderen Einfluß auf den Menschen ausübt. Zum Beispiel wirkt Blau kühl, beruhigend und schmerzlindernd, Rot erregend und frohmachend. Auch die grüne Farbe beruhigt das Gemüt, vermittelt aber zugleich aufmunternde Wärme, während Gelb am stärksten unsere Phantasie und Lebenskraft fördert. Die Zusammenstellung der Farben Rot, Grün, Blau, die wir auf Blumenwiesen betrachten können, wirkt nach wissenschaftlicher Feststellung positiv auf das Vitale, d. h. auf unsere Lebenskräfte. Aus diesen wissenschaftlichen Forschungsergebnissen ist die sogenannte Farbheilkunde hervorgegangen, welche die verschiedenen Farben in ihrer Wirkung auf den Körper des gesunden und kranken Menschen zur Heilung und Leistungssteigerung ausnützt. Wie wunderbar ist es, daß auch die Farben, die in der Natur, auf Wiesen und in Wäldern, uns entgegenstrahlen, zu unserer Gesundung und Erfrischung dienen! Ja, wie herrlich ist Gottes Schöpfung!

Manche Pflanzen funktionieren wie eine Wünschelrute, indem sie den Inhalt des Erdreiches, das unter der betreffenden Pflanze liegt, anzeigen. Birken wachsen zum Beispiel besonders intensiv über Eisenerzlagern, und Buchen gedeihen gut über Kalksteinlagern.

Hinter all dieser bunten und reichen Schöpferpracht stehen nicht nur von Gott angeordnete Gesetze, die mechanisch wie ein Uhrwerk arbeiten, sondern diese Gesetze sind nach der Erkenntnis der modernen Wissenschaft sogar musikähnlich. Der Astrophysiker Professor Jeans sagt, daß die Naturgesetze nicht vergleichbar sind den Gesetzen einer Maschine, sondern den Gesetzen, von denen Johann Sebastian Bach geleitet wurde, als er seine Fugen komponierte. Der Atomforscher Professor Sommerfeld erklärt, daß „eine wirkliche Sphärenmusik der Atome" erklingt. Der berühmte Physiker Niels Bohr äußert sich wörtlich: „Sollte es nicht möglich sein, aus dem elektrischen Konzert, das uns die Natur im Leuchten der Atome spielt, etwas über den Bau dieser optischen Konzertinstrumente der Atome zu erfahren? Wenn wir nur die richtigen Schlüsse ziehen können aus der optischen Musik der Atome auf den Mechanismus, der ihr zugrunde liegt! Wir können uns diese Mechanismen nicht anders denken wie nach dem Muster der uns bekannten Musikinstrumente[24]."

Nun fassen wir noch einmal zusammen, was der dritte Schöpfungstag uns lehrt. Hinter den Gewalten des Meeres, des Landes und der Pflanzenwelt steht der allmächtige Gesetzgeber und allweise Mathematiker und Techniker Gott.

Der Beginn unserer Zeitrechnung

Und Gott sprach: Es werden Lichter an der Feste des Himmels, die da scheiden Tag und Nacht und geben Zeichen, Zeiten, Tage und Jahre und seien Lichter an der Feste des Himmels, daß sie scheinen auf Erden. Und es geschah also. Und Gott machte zwei große Lichter: ein großes Licht, das den Tag regiere, und ein kleines Licht, das die Nacht regiere, dazu auch Sterne. Und Gott setzte sie an die Feste des Himmels, daß sie schienen auf die Erde und den Tag und die Nacht regierten und schieden Licht und Finsternis. Und Gott sah, daß es gut war. Da ward aus Abend und Morgen der vierte Tag. 1. Mose 1, 14—19

Am vierten Schöpfungstag schuf Gott Sonne, Mond und Sterne und deren Gesetze. Er schuf die Himmelskörper, indem er die Urstrahlung, die am ersten Schöpfungstag ins Dasein trat, nun besonders zusammenfaßte, spezialisierte, indem nun Gestirne im Weltraum auftraten. Man könnte einen Vergleich gebrauchen und sagen, daß, nachdem das Kraftwerk, das „Elektrizitätswerk“, am ersten Schöpfungstag geschaffen wurde, Gott nun Beleuchtungskörper in den Kraftstrom der Urstrahlung hineinfügt. So trat das Licht in der jetzigen Daseinsform in Erscheinung.

Professor Planck, der große Physiker, hat in seinem Vortrag „Gottesglauben und Naturwissenschaft“, 1938, gesagt: „Die Tatsache, daß ein Lichtstrahl sich wie ein vernünftiges Wesen verhält, indem er stets den kürzesten Weg sucht, und zwar durch alle Brechungen des Wassers und der Atmosphäre hindurch, und die ganze Fülle ähnlicher Tatsachen, die sich der fortschreitenden naturwissenschaftlichen Erkenntnis erschließen, weisen schließlich auf das Vorhandensein einer von den Menschen unabhängigen, vernünftigen Weltordnung hin[25].“ Also aus den Forschungen, die sich mit dem Licht beschäftigten, hat ein großer Gelehrter ablesen können, daß hier nicht blinder Zufall regiert, daß die Bibel auch darin zuverlässig ist, wenn sie im Schöpfungsbericht uns Gottes Taten vor Augen führt.

Man hat oft an der Schilderung der Bibel Anstoß genommen, daß die Sonne aufgehe und untergehe, daß also nach biblischem Bericht die Sonne sich um die Erde bewegt. Sollte uns darin Gottes Wort eine veraltete, unrichtige Darstellung geben? Nein! Gerade die neuesten wissenschaftlichen Erkenntnisse der Relativitätstheorie Professor Einsteins zeigen uns, daß man mit dem gleichen Recht sagen kann: „Die Sonne geht auf, d. h. sie kreist um die Erde", wie man sagen kann: „Die Erde bewegt sich um die Sonne." Sommerfeld, ein bedeutender Atomforscher, schreibt folgendes: „Niemandem kann man verbieten zu sagen: ‚Die Erde ist stationär (steht still), und das Firmament dreht sich um die Erde' oder ‚Die Sonne bewegt sich und die Erde steht im Brennpunkt der Planetenbahn[26]'." Also beide astronomischen Anschauungen sind berechtigt und richtig.

Nun betrachten wir einmal kurz die Wundermacht, die Gott in die Sonne hineingebunden hat. Wenn es möglich wäre, ein Kilogramm Sonnenmasse herauszunehmen und hier auf der Erde auf ein freies Feld zu legen, so würde in kurzer Zeit von diesem einen Kilogramm Sonnenmaterie alles im Umkreis von mehreren hundert Kilometern zu Staub verbrannt werden. Wenn es gelänge, eine Wassermenge, die 25mal so groß ist wie die Wassermenge des Bodensees, in einen Riesentopf zu füllen und die gesamte Wärmemenge, die von der Sonne in einer Sekunde ausgestrahlt wird, als Heizungsfeuer darunterzulegen, so würde diese Riesenwassermenge augenblicklich zum Sieden gebracht. Welch unfaßliche Mächte und Gewalten[27]!

Schauen wir nun auf die Geheimnisse des Mondes. Der Mond ist eine Ursache von Ebbe und Flut, wie wir vorhin schon sahen. Er ist uns in bezug auf die Gestaltung seiner Oberfläche am besten von allen Gestirnen bekannt. Es existieren „Landkarten" des Mondes, die Gebirge und Ebenen genau vermerken. Welche wunderbaren Kräfte gehen vom Mond aus! Der Mond verursacht Mikroerdbeben. Er wirkt auf die lebendige Kreatur ein, indem bei Vollmondschein die Hyänen der Wüste heulen und manche Hunde anfangen zu bellen. Menschen, die besonders dafür veranlagt sind, werden durch sogenannte Mondsucht umhergetrieben.

Dr. Gold, der Leiter der Abteilung für Strahlungsphysik und Raumforschung der Cornell-Universität, hat gemeint, daß bei einem Mondalter von vier Milliarden Jahren die Mondoberfläche von einer Staubschicht von mindestens 1500 Meter Dicke bedeckt sein müsse. Durch die neuesten Raketenversuche hat man jedoch erkannt, daß diese Rechnung nicht richtig ist. Die Mondoberfläche ist ähnlich beschaffen wie die Oberfläche der Erde. Die auf den Mond geschossene Mondsonde Surveyor 1 ist auf der Mondoberfläche nur zwei bis drei Zentimeter eingesunken, obwohl auf jedem ihrer drei Füße etwa 15 Kilogramm, also im ganzen 45 Kilogramm, lasteten. Auf der Erde hätte Surveyor 1 etwa 270 Kilogramm gewogen. Man weiß also, daß bei einer Landung von Menschen die Mondoberfläche ohne weiteres tragfähig ist. Außerdem ergibt sich daraus, daß die Annahme, die Welt existiere seit mehreren Milliarden Jahren, nicht zuzutreffen scheint.

Welch eine wunderbare Herrlichkeit offenbaren uns die Sterne, die Gott am vierten Schöpfungstag ebenfalls geschaffen hat. Man kann mit bloßen Augen etwa siebentausend Sterne und durchs Fernrohr etwa drei Millionen Sterne sehen. In Wirklichkeit ist ihre Zahl unendlich groß. Es gibt Sterne, die regelmäßig wie ein Uhrwerk aufflackern und verlöschen, ferner sogenannte Radiosterne, die gewisse Töne oder Signale aussenden.

Gewaltig sind die sogenannten Novae und Supernovae. Sie sind Sterne, die aus unbekannter Ursache plötzlich bis zu über 20 000-facher oder über 300 000 000-facher Helligkeit unserer Sonne aufflammen. Dann klingt dieser Weltbrand langsamer wieder ab. Außerdem entdeckte man im Weltraum sogenannte Dunkelwolken, deren Wesen und Art noch nicht restlos geklärt ist. Eigenartig sind auch die sogenannten Meteorite, kosmische Kleinkörper. Diese verdampfen gewöhnlich im Weltraum. Vereinzelt jedoch fallen sie auf die Erde herunter. Man hat nicht nur Stein- und Kohlenstoff-Meteorite auf Erden festgestellt, sondern auch Glasmeteorite und solche aus Diamant. Welch ungeahnte Stoffe und Kräfte offenbaren sich da aus dem Weltraum!

Besonders wichtig ist für uns die Tatsache, daß mit der Erschaffung von Sonne, Mond und Sternen unsere menschliche Zeitrechnung beginnt. Von hier ab werden Tage und Jahre gezählt, und alle menschliche Geschichte ist abhängig vom festgefügten Lauf der Gestirne, genau so, wie es Gottes Wort in 1. Mose 1, Vers 14 sagt. Auch geben die Himmelskörper den Menschen bedeutsame Zeichen, z. B. Vorzeichen des Wetters (Matth. 16, 2. 3), Merkzeichen für Wanderer und für die Seefahrt und Anzeichen außergewöhnlicher Ereignisse (Matth. 2, 2; Luk. 21, 25; 23, 44. 45).

Der Mensch als höchstes Tier?

Und Gott sprach: Es errege sich das Wasser mit webenden und lebendigen Tieren, und Gevögel fliege auf Erden unter der Feste des Himmels. Und Gott schuf große Walfische und allerlei Getier, das da lebt und webt, davon das Wasser sich erregte, ein jegliches nach seiner Art, und allerlei gefiedertes Gevögel, ein jegliches nach seiner Art. Und Gott sah, daß es gut war. Und Gott segnete sie und sprach: Seid fruchtbar und mehret euch und erfüllet das Wasser im Meer; und das Gefieder mehre sich auf Erden. Da ward aus Abend und Morgen der fünfte Tag. Und Gott sprach: Die Erde bringe hervor lebendige Tiere, ein jegliches nach seiner Art: Vieh, Gewürm und Tiere auf Erden, ein jegliches nach seiner Art. Und es geschah also. Und Gott machte die Tiere auf Erden, ein jegliches nach seiner Art, und das Vieh nach seiner Art, und allerlei Gewürm auf Erden nach seiner Art. Und Gott sah, daß es gut war. Und Gott sprach: Lasset uns Menschen machen, ein Bild, das uns gleich sei, die da herrschen über die Fische im Meer und über die Vögel unter dem Himmel und über das Vieh und über die ganze Erde und über alles Gewürm, das auf Erden kriecht. Und Gott schuf den Menschen ihm zum Bilde, zum Bilde Gottes schuf er ihn; und schuf sie einen Mann und ein Weib. *1. Mose 1, 20—27*
(bitte bis Kapitel 3, 24 lesen)

Am fünften Schöpfungstag schuf Gott alle Tiere, die im Wasser und in der Luft leben, also zunächst nicht die Landtiere. Wenn die Lutherübersetzung uns im 20. Vers von „Gevögel" berichtet, so müssen wir uns klarmachen, daß der biblische Urtext darunter nicht nur die Vögel versteht, sondern alle geflügelten Tiere.

Wenn wir nun einen Blick auf die Wunder dieser Tierwelt werfen, so versetzt uns manches in Staunen. Man hat versuchsweise einen kleinen Seevogel namens Wasserscherer an der englischen Westküste aus dem Nest von den Eiern weggenommen, im Flugzeug nach Boston (USA) gebracht, dort mit einer Kennmarke versehen und wieder fliegen lassen. Dieser Vogel nahm sofort Kurs in Richtung Atlantik und flog mit einer erstaunenswerten Sicherheit nach England in sein Nest zurück, wo er nach Zurücklegung von 5280 Kilometern nach zwölf Tagen und achtzehn Stunden wohlbehalten ankam[28]. Wer gab diesem Vogel das Wissen und die Orientierung?

Die Aale schwimmen aus den europäischen Flüssen nach dem Sargassomeer in die Nähe der Bermuda-Inseln, zeugen dort ihre Jungen, und die Jungen finden ohne weiteres den Weg in die heimatlichen Flüsse zurück, obwohl sie ja noch nie dort gewesen sind.

Das Buch Hiob berichtet uns als Beweis für die Wundermacht Gottes in Kapitel 40 und 41 von einem Ungeheuer des Meeres, dem Leviathan. Ein solches Ungeheuer ist nun in den letzten Jahrzehnten entdeckt worden in Gestalt der sogenannten „Seeschlange"! Zunächst dachte man, daß dieses gewaltige Tier von etwa zwanzig Meter Länge eine Sagengestalt sei, bis es mehrfach unzweifelhaft nachgewiesen wurde. Zum Beispiel traf im ersten Weltkrieg, am 30. Juli 1915, der deutsche Kapitän Freiherr von Forstner mit seinem Unterseeboot 28 mit einer solchen Seeschlange zusammen, deren Gestalt krokodilsartig war[29]. Eine ähnliche Begegnung hatte Korvetten-Kapitän Loewisch im Jahre 1918 mit seinem Unterseeboot 108. Er sichtete ein Meeresungeheuer, dessen Länge er auf dreißig Meter schätzte. Welche gewaltigen Tiere mögen in der Tiefe des Meeres noch leben, von denen wir nichts Näheres wissen?

Ein weiteres Wunder, das sich nicht durch zufällige Entwicklung erklären läßt, stellen die Leuchtfische der Tiefsee dar. Diese Fische tragen an ihrem Körper in verschiedenartiger Anordnung Leuchtorgane. Manche Fische können diese Organe nach Belieben ein- und ausschalten, andere besitzen Leuchtorgane in verschiedenen Farben. Tiefseetaucher, die solche Leuchtfische beobachten konnten, sind überrascht von der Eigenartigkeit dieser Tiere. Bei genauer Forschung hat man festgestellt, daß die Lichtquelle dieser Fische eine Lichtausbeute von 92 bis 93 Prozent aufweist. Solche Ausbeute ist noch keinem Ingenieur bei künstlichen Lichtquellen gelungen. Außerdem bedürfen diese tierischen Leuchtorgane weder der Wartung noch der Reparatur[30]. Ihre Energieversorgung erfolgt automatisch durch den Tierkörper. Wunder über Wunder!

Am sechsten Schöpfungstag schuf Gott dann die Landtiere. Auch da kann man bei manchen Tieren kunstvolle Organe feststellen, die wahre Wunder der Schöpfung bedeuten. So haben zum Beispiel die Grubenottern, die nur in der Neuen Welt und in einigen Gebieten Asiens leben, an ihrem Kopf zwei tiefe Gruben, die so stark wärmeempfindlich sind, daß sie in völligster Dunkelheit der Schlange mit Sicherheit anzeigen, wenn sich warmblütige Beute in der Nähe befindet. Diese Schlange kann also mit absoluter Genauigkeit auch in der Finsternis ihre Beute fassen[31].

Doch wir wollen uns nicht bei der Tierwelt zu lange aufhalten, sondern jetzt lieber die Wunder der Schöpfung am Menschen betrachten. Da ist es zunächst bei der heutigen weltanschaulichen Lage wichtig, daß wir den Unterschied zwischen Mensch und Tier feststellen. Zwar sind z. B. die Menschenaffen in physiologischer Beziehung den Menschen recht ähnlich. Doch sind beispielsweise auch die Autos verschiedener Systeme untereinander ähnlich und stammen doch nicht voneinander ab, sondern sind in verschiedenen Fabriken gebaut worden. So beweist auch die Ähnlichkeit der physiologischen Prozesse des Körpers keineswegs die Verwandtschaft der Affen mit dem Menschen[32]. Ferner unterscheidet die Sprache und das begriffliche Denken den Menschen von jedem Tier. Durch Forschung hat man zwar festgestellt, daß auch die Ameisen und die Bienen eine Sprache haben, mit der sie sich manches mitteilen können. Aber diese Sprache ist nur ein Signalgeben und befähigt nicht zu einer verstandesmäßigen Unterhaltung der Tiere untereinander. Dazu ist nur der Mensch fähig.

Der amerikanische Psychologe Professor Kellogs hat folgenden Versuch gemacht: Er hat ein kleines Kind im „Krabbelstadium" und ein fast gleichaltriges Schimpansenbaby unter völlig gleichen äußeren Bedingungen während einiger Zeit gemeinsam aufgezogen, um ihre geistige Entwicklung vergleichen zu können. Zunächst zeigte der Schimpanse manche gute Leistungen auf dem Gebiet des Lernens. Doch sobald die Aufgaben schwieriger wurden, versagte das Tier. Als das Menschenkindlein seine ersten Sprachversuche unternahm, versuchte auch der Affe, Sprache zu formen, was ihm jedoch nicht gelang. Als man dann die beiden trennte, hat sich das Menschenbaby geistig und körperlich weiter entwickelt, während der Affe sämtliche „geistigen Errungenschaften" wieder verlor[33]. Der Mensch ist eben nicht mit dem Tier verwandt, sondern durch Sprache, Verstand und Vernunft von ihm unterschieden.

Hierzu vergleiche man die geistigen Höchstleistungen, zu denen Menschen fähig sind, mit den „geistigen" Leistungen der Tierwelt. Denken wir an Beethoven, der mit zehn Jahren seine erste Sonate komponierte, oder an Chopin, der mit 19 Jahren als Pianist öffentlich auftrat, oder an Kardinal Mezzofanti, der 114 Sprachen und 72 Dialekte erlernte, oder an den berühmten, 1956 verstorbenen Pianisten Gieseking, der auf der Fahrt von Berlin nach Wien die Partitur eines schwierigen Klavierkonzertes studierte und dieses Konzert am Abend öffentlich spielte, und zwar aus dem Gedächtnis! Auch ist das Allerhöchste und Herrlichste allein dem Menschen gegeben, nämlich die Fähigkeit, zu Gott zu beten und im Glauben Gemeinschaft mit dem Allmächtigen und Heiligen zu haben. Wie zuverlässig ist also der Bericht der Bibel, der klar und deutlich herausstellt, daß der Mensch eine Sonderschöpfung Gottes ist und keineswegs von Tieren irgendwelcher Art abstammt.

Zur sogenannten Abstammungslehre oder Evolutionstheorie wäre in Kürze noch darauf hinzuweisen, daß nicht ein einziges Beispiel bekannt ist dafür, daß Leben von sich selber entstanden sei. Die Unmöglichkeit der automatischen Entstehung des Lebens hat der berühmte Chemiker und Bakteriologe Pasteur bewiesen. Der Annahme einer allgemeinen Höherentwicklung aus niederen Lebewesen zu höheren steht der allgemein gültige und wissenschaftlich anerkannte thermodynamische Satz der Entropie entgegen. Dieses Gesetz der Entropie besagt, daß überall dort, wo keine Kraft von außen in ein geschlossenes System hineinwirkt, keine Höherentwicklung, sondern eine Entartung stattfindet. Die Wissenschaft nennt das Maß derjenigen Energie, die uns für nützliche Arbeit nicht mehr zur Verfügung steht, sondern „träge" und wertlos geworden ist, Entropie. Der Astrophysiker Eddington nennt die Entropie das „Maß der Unordnung". In einem sich selbst überlassenen System sinkt diese Entropie niemals ab, sondern neigt im Gegenteil dazu, zuzunehmen. Im übrigen spricht gegen die Theorie der Evolution, die durchaus nur eine Hypothese, also keine sicher bewiesene Tatsache darstellt, daß eine automatische Höherentwicklung von Lebewesen wissenschaftlich nirgends in der Gegenwart nachweisbar ist.

Auch setzt die Entwicklungslehre Darwins voraus, daß die Einzelarten in ihrer Entwicklung Zwischenstufen aufweisen, welche zeigen, daß von Stufe zu Stufe sich alles entwickelt hat. Tatsächlich findet man aber in den geologischen Schichten sehr selten Formen, welche Zwischenstufen darstellen könnten. Darwin gesteht dies selbst ein, indem er schreibt: „Wenn die Arten durch unmerkliche Übergänge aus anderen Arten entstanden sind, warum finden wir dann nicht überall Übergangsformen? Warum besteht dann nicht in der Natur ein wirres Durcheinander von Formen, anstatt daß die Arten, wie wir sehen, wohl abgegrenzt sind?" Daher schreibt er ebendort: „Schon ehe der Leser zu diesem Teil meines Werkes gelangte, wird ihm eine große Anzahl von Schwierigkeiten aufgefallen sein, und einige von ihnen sind so groß, daß ich bis heute nicht an sie denken kann, ohne daß ernste Zweifel in mir aufsteigen[34]."

Tatsächlich hatten die ersten Amphibien, die man in Versteinerungen vorfand, schon wahre Füße und keine Zwischenstufen von Füßen und Flossen. Die ersten in Versteinerungen aufgefundenen Insekten waren schon vollkommene Insekten. Auch hatten die ersten versteinerten Vögel, welche in geologischen Schichten auftraten, keine Zwischenstufen von Reptilienschuppen und Federn, sondern schon richtige Federn[35]. Beispielsweise hat man in Mexiko, in einem Stück Bernstein eingeschlossen, eine Biene gefunden, deren Alter von der Wissenschaft auf etwa 30 Millionen Jahre geschätzt wird. Diese Biene ist genauso gestaltet wie unsere heutigen Bienen. Der jetzt noch auf der Philippineninsel Mindanao lebende Gespensteraffe ist uns auch in Versteinerungen erhalten, deren Alter auf etwa 60 Millionen Jahre geschätzt wird. Hier ist ebenfalls keine Höherentwicklung festzustellen. Ferner sind alle anderen Skelett- und Schädelfunde derart ungewiß und nicht eindeutig erklärbar, daß ein großer Teil der heutigen Forschung meint, daß wir gegenwärtig keine Vorfahren des jetzigen Menschen kennen. Selbst moderne Darwinisten lehnen es ab, daß der Mensch von der Linie des „Neandertalers“ oder des „Java-Menschen“ oder des „Peking-Menschen“ abstamme. Dr. Paul Müller sagt: „Es gibt heute Biologen, die der Abstammungslehre sehr kritisch gegenüberstehen[36].“ Jauncey betont: „Was die Herkunft des Menschen angeht, so ist offenbar die Evolutionstheorie in eine Sackgasse geraten. Nachdem man die Theorie, nach der der Mensch vom Affen abstammt, verworfen hat, steht der moderne Mensch ohne bekannte Vorfahren da[37]!“ Der amerikanische Anthropologe Straus drückt die Situation so aus: „Die letzten Jahre waren Zeuge der Entdeckung einer bedeutsamen Zahl fossiler Hominiden, unter ihnen viele unverkennbar primitiver als der heutige Mensch, und zahlreicher Überreste anderer Primaten. Aber diese Fossil-Funde haben, anstatt die Stammesgeschichte des Menschen zu vereinfachen, nur dazu beigetragen, ihre Kompliziertheit zu erweisen, so daß ihr Verlauf, der so klar zu sein schien, gegenwärtig viel dunkler und unbekannter ist als einige Jahrzehnte zuvor.“

Der Basler Zoologe Professor Dr. Portmann äußert sich zur heutigen Lage folgendermaßen: „Die Idee der Ableitung des Höheren aus dem Niedrigen führt in die Irre. Das Wesen der höheren Gestalt läßt sich nicht aus den Bedingungen der niederen Form verstehen[38].“ An anderer Stelle schreibt Professor Portmann: „Wohl gibt es noch immer viele Naturforscher, welche diese Lehre (die Abstammungslehre) so erhalten möchten, wie sie seinerzeit in den 70er Jahren geformt worden ist. Trotzdem ist die Zeit dieser ersten Evolutionslehre vorbei ... Auch die Größe, die Einsamkeit der menschlichen Erscheinung in der Fülle des irdischen Lebens wird von der Forschung deutlicher gesehen als früher — in ersten Umrissen kündet sich ein neues Bild vom Menschen an ... Die Vorstellungen vom Ursprung des Menschen, die heute noch so vielen als gesichertes Ergebnis der Naturforschung gelten, sie sind Gebilde des Denkens, in denen sich Wahrheiten und vergängliche Ideen einer vergangenen Zeit seltsam vermengen[39]." Beachtung verdient auch noch das Urteil des bedeutenden Paläontologen Professor Osborn: „Vor drei Jahren hing ich selbst noch dieser Theorie (Entwicklungstheorie) an ... Jetzt bin ich überzeugt, daß die Affenmenschentheorie unbegründet ist. Ich halte die Affenmenschentheorie für total falsch und irreführend[40]." Der Mitarbeiter der Atomenergiekommission Dr. Tahmisian, ein Physiologe, bezeichnet die angeblichen Beweise der Entwicklungstheorie als „Mischmasch von Mutmaßungen und Rechenkunststücken[41]."

Zum Schluß sei noch ein Urteil des Gelehrten Dr. Mortimer J. Adler an der Universität von Chicago angeführt, der die Evolutionslehre wegen ihrer philosophischen Annahmen ablehnt. Er nennt sie einen „Mythos" und sagt, er tue das mit Bedacht, aufgrund ihrer komplizierten, auf Vermutungen beruhenden Geschichte, die über das Beweismaterial weit hinausgehe. Sie sei das Werk von „Philosophen[42]".

Nachdem wir so an verschiedenen Stellen des Schöpfungsberichtes gesehen haben, daß die Bibel uns die zuverlässige Wahrheit verkündet, daß besonders der Mensch nicht ein höher entwickeltes Tier darstellt, sondern eine eigene, besondere Schöpfung des lebendigen Gottes, wollen wir noch auf einige Punkte des biblischen Berichtes unser Augenmerk lenken. Zunächst betrachten wir die Stelle in 1. Mose 2, 2, wo uns berichtet wird, daß Gott am letzten Schöpfungstag seine Werke vollendete und ruhte von allen seinen Werken. Das bedeutet doch, daß Gott, nachdem er alles geschaffen hatte, nun nichts Neues mehr hinzugestaltete. Der Allmächtige erhält und bewahrt das Vorhandene und fügt keine Neuschöpfung mehr hinzu. In der Naturwissenschaft gibt es einen Grundsatz, der allgemein anerkannt und gültig ist, nämlich das Gesetz der Erhaltung der Energie. Dieser erste Hauptsatz der Thermodynamik stellt fest, daß Energie auf verschiedene Weise umgewandelt, aber weder neu erschaffen noch vernichtet wird. Da nach heutiger wissenschaftlicher Erkenntnis Materie (Masse) und Energie gleichbedeutend sind, haben also die modernen Physiker erkannt, daß auch von aller Materie nichts verlorengeht. Materie kann sich in Energie oder Strahlung umwandeln, sie bleibt aber erhalten, und keine Neuschöpfung von Materie tritt hinzu. Diese Aussage modernster Wissenschaft deckt sich völlig mit dem, was Gottes Wort in 1. Mose 2, 2 sagt. Hier haben wir also das grundlegende Gesetz der Erhaltung der Energie und Masse schon in der Bibel deutlich ausgedrückt.

Betrachten wir im zweiten Kapitel den siebten Vers, so wird dort erzählt, daß Gott der Herr den Menschen aus einem „Erdenkloß" geschaffen hat, wie Luther übersetzt, oder wie die wörtliche Übersetzung lauten müßte: „Da bildete Gott der Herr den Menschen aus Erde vom Ackerboden." Nun hat die moderne Chemie herausgefunden, daß die gleichen 14 chemischen Elemente im Erdenstaub enthalten sind, die auch der menschliche Körper enthält. Also auch diese Aussage des Wortes Gottes ist im Licht der Wissenschaft durchaus haltbar und richtig.

Hinzuweisen wäre noch auf den sogenannten zweiten Schöpfungsbericht 1. Mose 2. Doch gibt es in Wirklichkeit keine zwei Schöpfungsberichte, sondern dieser sogenannte zweite Schöpfungsbericht ist nichts anderes als eine ausführliche nachträgliche Erklärung des sechsten Schöpfungstages. Die Pflanzen und Tiere sind bereits geschaffen, und nun wird die Erschaffung des

Menschen, die in 1. Mose 1, 27 nur kurz berichtet ist, ausführlich geschildert. Wir sehen wiederum, wie, nachdem alle Kreatur geschaffen war, der Mensch als Krone der Schöpfung von Gott ins Dasein gerufen wurde, also kein höher entwickeltes Tier darstellt.

Und dieser Mensch, der das Ebenbild Gottes sein sollte, fiel von seinem Schöpfer ab, indem er der Schlangenbotschaft des Teufels mehr glaubte als den Worten Gottes (1.Mose 3,1—6). Er, welcher Stellvertreter Gottes auf Erden, Bote und Diener des Allerhöchsten sein sollte, wurde ein Knecht der Sünde. Das Werkzeug des Satans, welches die ersten Menschen durch seine Lügenbotschaft zu Fall brachte, wurde, wie 1. Mose 3, 14 erzählt, von Gott dadurch bestraft, daß es von diesem Zeitpunkt ab „auf seinem Bauche gehen und Erde essen soll". Demnach bewegte sich also die Schlange vorher nicht auf dem Bauche, sondern auf Füßen. Tatsächlich ist wissenschaftlich festgestellt, daß die Embryonen unserer Nattern noch verkümmerte Hinterbeine besitzen, die während ihrer weiteren Entwicklung verschwinden[43]. Auch die Pythongattung der Riesenschlangen weist heute noch rudimentäre Beine unter der Haut auf[44].

Zum Schluß wollen wir noch kurz zwei Worte bedeutender neuerer Denker anführen, die bestätigen, daß es tatsächlich einen Sündenfall und davon herstammend auch eine Erbsünde gibt. Der bedeutende deutsche Geschichtsschreiber Heinrich von Treitschke, der den Verlauf der Menschheitsgeschichte gut kennt, sagt wörtlich: „Die Bestie regt sich im Kulturmenschen ebenso wie im Barbaren. Nichts ist wahrer als die biblische Lehre von der radikalen Sündhaftigkeit des menschlichen Geschlechts, die durch keine noch so hohe Kultur überwunden werden kann." Der Dichter Strindberg drückt es so aus: „Man hat den Begriff Schuld wegphilosophiert, aber das Schuldgefühl ist noch vorhanden. Das kann man sich nur erklären, wenn etwas Unbekanntes vorgegangen ist. Ich glaube an den Sündenfall . . . Die Erbschuld ist die Sünde, die der Mensch im Herzschild trägt."

Zum Beweis der Tatsache der Sünde benötigen wir freilich nicht die Bestätigung durch Gelehrte. Uns genügen die Aussagen der Bibel und unsere eigene Lebenserfahrung.

Die zweite große Weltkatastrophe

Da sich aber die Menschen begannen zu mehren auf Erden und ihnen Töchter geboren wurden, da sahen die Kinder Gottes nach den Töchtern der Menschen, wie sie schön waren, und nahmen zu Weibern, welche sie wollten. Da sprach der Herr: Die Menschen wollen sich von meinem Geist nicht mehr strafen lassen; denn sie sind Fleisch. Ich will ihnen noch Frist geben hundertzwanzig Jahre. 1. Mose 6, 1—3

Da sah Gott auf die Erde, und siehe, sie war verderbt; denn alles Fleisch hatte seinen Weg verderbt auf Erden. Da sprach Gott zu Noah: Alles Fleisches Ende ist vor mich gekommen; denn die Erde ist voll Frevels von ihnen; und siehe da, ich will sie verderben mit der Erde. Mache dir einen Kasten von Tannenholz und mache Kammern darin und verpiche ihn mit Pech inwendig und auswendig. 1. Mose 6, 12—14

Und der Herr sprach zu Noah: Gehe in den Kasten, du und dein ganzes Haus; denn dich habe ich gerecht ersehen vor mir zu dieser Zeit. 1. Mose 7, 1

Da kam die Sintflut vierzig Tage auf Erden, und die Wasser wuchsen und hoben den Kasten auf und trugen ihn empor über die Erde. 1. Mose 7, 17
(bitte 1. Mose 6—8 ganz lesen)

Heutzutage wird weithin behauptet, daß es sich um eine Sintflutlegende handle. Man verweist auf ähnliche Sagen im babylonischen Raum oder in anderen Religionen, vergißt jedoch dabei, daß zwischen diesen Schilderungen aus anderen Religionen und dem Bericht der Bibel grundlegende Unterschiede bestehen.

Können wir nun beweisen, daß auch in der Erzählung von der Sintflut die Bibel im Licht moderner Wissenschaft zuverlässig ist?

Gottes Wort berichtet uns, daß die Bosheit der Menschen so stark anwuchs, daß Gott ihnen ein Gericht androhte (1. Mose 6, 3—7). Besonders schwerwiegend war der Abfall der Gläubigen der damaligen Zeit. Diese Gläubigen, welche der Nachkommenschaft des frommen Seth angehörten, werden in 1. Mose 6, 2 „Kinder Gottes" genannt. Worin bestand nun damals die Abkehr der Gläubigen von Gott? „Da sahen die Kinder Gottes nach den Töchtern der Menschen ... und nahmen zu Weibern, welche sie wollten" (1. Mose 6, 2). Sie schlossen Mischehen mit ungläubigen Frauen. Die Auslegung, daß es sich bei den Kindern Gottes um Engel handle, ist nicht berechtigt, weil die Bibel ausdrücklich sagt, daß die Engel „nicht freien noch sich freien lassen" (Mark. 12, 25).

Gemäß der Lutherübersetzung lebten zu der damaligen Zeit „Tyrannen auf Erden" (1. Mose 6, 4). Die wörtliche Übersetzung dieses Verses muß jedoch lauten: „Zu jener Zeit waren die Riesen auf der Erde" (so Menge und ähnlich die Elberfelder Übersetzung). Diese biblische Nachricht, daß damals, vor der Sintflut, Riesen existierten, ist durch wissenschaftliche Forschungen bestätigt. Fast 4000 Meter über dem Spiegel des Stillen Ozeans in den Anden unweit des Titicacasees fand man die Stadt Tiahuanacu, die vor mehreren tausend Jahren zerstört worden ist. Dort kann man Ruinen von Bauten betrachten, welche z. B. aus hundert Tonnen schweren Sandsteinblöcken und Steinwürfeln von sechzig Tonnen Gewicht errichtet waren. Besonders kunstvoll ist das dortige Sonnentor, das aus einem einzigen Steinblock gemeißelt ist und eine Höhe von drei Metern sowie eine Breite von vier Metern aufweist. Wer konnte diese gewaltigen Steinblöcke bewegen und bearbeiten? Der Wissenschaftler Dr. Hans Schindler-Bellamy, ein Wiener Archäologe, und der französische Forscher Saurat sowie andere Fachgelehrte nehmen an, daß diese Riesenbauten von urweltlichen Riesen ausgeführt wurden, die eine unbegreiflich hohe Kultur und Wissenschaft besaßen.

Auf der östlichsten polynesischen Insel Rapanui, der

sogenannten Osterinsel, entdeckte man aus Stein gehauene Riesengestalten, die zum Teil zehn bis zwanzig Meter hoch und bis zu fünfzig Tonnen schwer sind. Gelehrte sind der Meinung, daß diese Kunstwerke von einem längst vergangenen Riesengeschlecht geschaffen wurden. Wer vermochte die nördlich von Damaskus gelegene Terrasse von Baalbek zu bauen, die zum Teil aus Steinblöcken von über zwanzig Meter Seitenlänge und von fast zweitausend Tonnen Gewicht besteht? Waren dazu nicht wiederum nur Riesen der Vorzeit mit enormer Kultur und Technik imstande?

Wie wunderbar bestätigen diese Funde die Zuverlässigkeit des biblischen Berichts: „Zu jener Zeit waren die Riesen auf der Erde!"

Wir erfahren ferner, daß mitten in dieser von Gott abfallenden Menschheit Gottes Wort verkündigt wurde (1. Mose 4, 26). Wir hören von einem durch seine Herzensfrömmigkeit besonders hervorstechenden Mann der damaligen Zeit namens Henoch (1. Mose 5, 21. 22). Die Masse der damaligen Menschheit gab sich jedoch dem Genuß weltlicher Freuden ohne Gott hin. Ihre Bosheit war groß, und alles Dichten und Trachten ihres Herzens war böse (1. Mose 6, 5). Gott gab der damaligen Menschheit eine Frist von 120 Jahren (1. Mose 6, 3). Als diese Gnadenfrist erfolglos verstrichen war, schritt Gott zum Gericht, zur zweiten großen Weltkatastrophe, und sandte die Sintflut.

Ist nun diese Sintflut ein geschichtliches Ereignis, das die ganze Erde heimsuchte? Dafür gibt es allerhand Beweise. Zunächst sei erwähnt, daß ein englischer Fachgelehrter, Professor Woolley, 1929 bei Ausgrabungen in der Nähe von Ur in Mesopotamien interessante Funde machte. Als seine Mitarbeiter etwa zwölf Meter tief gegraben hatten und Werkzeuge und Geräte aus der Vergangenheit ans Tageslicht bringen konnten, stießen die Ausgrabungen plötzlich auf eine Lehmschicht, die, wie Woolley feststellte, aus Schwemmsand bestand. Man grub weiter. Die Lehmschicht hatte eine Dicke von etwa drei Metern. Als man sie durchbrochen hatte, gelangte man zu Erdschichten, die einige Gefäße enthielten, welche im Unterschied zu den Gefäßen, die man über der Lehmschicht gefunden hatte, noch nicht mit der Töpferscheibe geformt waren, sondern mit der Hand. Als Professor Woolley diese Tatsache genauer durchforscht hatte, schickte er ein Telegramm in alle Welt, das lautete: „Wir haben die Sintflut gefunden!" Diese Nachricht erschien in Schlagzeilen in der amerikanischen und englischen Presse.

Daß die Sintflut, wie der zuverlässige Bericht der Bibel sagt, sich über die ganze Erde erstreckte, geht ferner daraus hervor, daß nach Meinung mancher Gelehrter der Kaspi-See in Rußland durch diese große Flut entstanden ist. Hinzu kommt, daß sich in Südamerika riesige Kieslager, die mächtigsten der Welt, befinden, die über tausend Kilometer lang und bis siebzig Meter dick sind. Auch diese Kieslager sind nur durch eine Riesenflut zu erklären. Ebenso hat man in Australien als Spuren einer Riesenflut gewaltige Lager von Schlammschichten bis über fünfzig Meter Dicke festgestellt. In der sibirischen Tundra wurde eine ungeheure Menge von Birkenstämmen, bedeckt vom ewigen Schnee, aufgefunden, welche gemäß ihrer Lage nicht nur ruhig auf dem Wasser dahingeschwommen sind, sondern durch die brausenden Fluten der Sintflut durcheinandergewirbelt wurden, zum Teil mit abgebrochenen Spitzen und zermalmt. Ferner sind in Sibirien Kadaver von Mammutelefanten erhalten, so wie sie von der Flut überrascht wurden. Deren Fleisch, Haut und Haar sind im Eis konserviert. In den letzten Jahrzehnten wurden in Kalifornien Knochen von tropischen und arktischen Tieren festgestellt, die durcheinandergewürfelt und völlig zerbrochen und zerkleinert waren, weil die wirbelnde, brausende Flut sie so zerstörte und durcheinanderbrachte. Professor Morris, ein anerkannter Wissenschaftler, weist darauf hin, daß von dieser Riesenflut die Fossilien stammen, die man bisher als Urzeitwesen und -menschen vergangener Jahrtausende datierte, die jedoch durch die Flut getötet und in Sedimenten begraben wurden[45].

Alle diese Funde und Feststellungen sind wieder ein wichtiger Hinweis auf die Zuverlässigkeit der Bibel im Licht moderner Wissenschaft. Ja, sogar von der Arche Noah hat man Spuren gefunden. Mehrere wissenschaftliche Expeditionen haben im Gebiet des Ararat nach der Arche Noah gesucht (1. Mose 8, 4). Manche konnten nichts feststellen, aber einige brachten interessante Nachrichten. Besonders verblüffend ist das Ergebnis einer Expedition, die der französische Forscher Navarra mit seinem elfjährigen Sohn zusammen unternommen hat. Er kam aus Bordeaux in Frankreich und bestieg den Berg Ararat, um die Arche Noah zu suchen. Nach längerem Forschen sah er bei seiner Expedition im Jahre 1955 die in einer Gletscherwand vereisten Umrisse eines Schiffes. Es gelang ihm, davon ein Stück Holz von ungefähr 1½ Meter Länge abzuschlagen und einen Teil dessen bis nach Europa zu bringen. Er ließ dieses Holzstück nach der C-14-Methode an den Universitäten Paris, Bordeaux und Madrid untersuchen. Alle drei Universitäten datierten dieses Holzstück übereinstimmend auf die Zeit, in welcher die Sintflut nach der Bibel stattgefunden hat. Interessant dabei ist ferner, daß dieses Holz mit Pech durchtränkt war und aus Tannenholz bestand (1. Mose 6, 14).

Ein dänischer Ingenieur namens Vogt hat die Arche Noah nach den Maßen, die in der Bibel angegeben sind, nachgebaut. Die Länge der Arche würde nach unseren Maßen etwa 133 Meter, die Breite ungefähr 22 Meter und die Höhe zirka 13 Meter betragen. Ingenieur Vogt ließ diesen Holzkasten von einem Schiff auf das hohe Meer hinausziehen, um die Seetüchtigkeit dieser Konstruktion zu erproben, und er mußte feststellen, daß die Maße so gut ausgewogen waren, daß auch bei unruhiger See diese nachgebaute Arche verhältnismäßig ruhig schwamm.

Wie ist nun die Sintflut wissenschaftlich zu erklären? In 1. Mose 7, 11 wird berichtet, daß „alle Brunnen der großen Tiefe" aufbrachen. Es brachen also die in den Urtiefen unter den Gesteinen der Erdkruste verborgenen riesigen Wasserreservoire hervor[46]. Außerdem existierte damals eine große Wasserdampfdecke, welche die Erdkugel umgab und weit in das Weltall hinausragte. Sie schützte die Erde vor der starken und lebensgefährlichen Weltraumstrahlung. Daher erreichten die Menschen vor der Sintflut ein sehr hohes Lebensalter, das nach dem biblischen Bericht (1. Mose 5) zwischen 969 und 777 Jahren variierte. Zur Zeit der Sintflut regnete die schirmende Wasserdampfdecke als wochenlang andauernder, gewaltiger Niederschlag auf die Erde hernieder, so daß alle Berge unter dem Himmel von Wasser bedeckt wurden (1. Mose 7, 19. 20). Da nun die Wasserdampfdecke, die bisher das Leben der Menschen vor den schädlichen kosmischen Strahlen geschützt hatte, weggefallen war, trat eine deutliche Verkürzung des menschlichen Lebensalters ein. In 1. Mose 11, 10—25 sinkt das Lebensalter von 600 Jahren bis auf 148 Jahre herab[47].

Zusammenfassend können wir feststellen, daß durch die Funde in den verschiedenen Ländern und Erdteilen und durch die Forschungen die Zuverlässigkeit der Bibel auch in dieser Hinsicht bewiesen ist.

Die Entstehung der Sprachen

Es hatte aber alle Welt einerlei Zunge und Sprache. Da sie nun zogen gen Morgen, fanden sie ein ebenes Land im Lande Sinear, und wohnten daselbst. Und sie sprachen untereinander: Wohlauf, laßt uns Ziegel streichen und brennen! Und nahmen Ziegel zu Stein und Erdharz zu Kalk und sprachen: Wohlauf, laßt uns eine Stadt und einen Turm bauen, des Spitze bis an den Himmel reiche, daß wir uns einen Namen machen! denn wir werden sonst zerstreut in alle Länder. Da fuhr der Herr hernieder, daß er sähe die Stadt und den Turm, die die Menschenkinder bauten. Und der Herr sprach: Siehe, es ist einerlei Volk und einerlei Sprache unter ihnen allen, und haben das angefangen zu tun; sie werden nicht ablassen von allem, was sie sich vorgenommen haben zu tun. Wohlauf, lasset uns herniederfahren und ihre Sprache daselbst verwirren, daß keiner des andern Sprache verstehe! Also zerstreute sie der Herr von dort in alle Länder, daß sie mußten aufhören, die Stadt zu bauen. Daher heißt ihr Name Babel, daß der Herr daselbst verwirrt hatte aller Länder Sprache und sie zerstreut von dort in alle Länder. 1. Mose 11, 1—9

Wenn wir den ersten Vers dieses Kapitels 11 im ersten Mosebuch betrachten, so besagt er, daß es einst eine einheitliche Sprache auf der ganzen Erde gegeben hat. Nach der heutigen wissenschaftlichen philosophischen Erkenntnis wird die menschliche Sprache zumeist als eine Schöpfung des Geistes angesehen. Da Gott den Geist des Menschen erschaffen hat (1. Mose 1, 27 u. 2, 7), ist er folglich auch der Schöpfer der Sprache (1. Mose 2, 19). Daß am Anfang die Menschheit durch eine gemeinsame Ursprache verbunden war, bestätigen vergleichende Beobachtungen der in der Welt auftretenden Sprachen. Es lassen sich Wortstämme und gewisse Merkmale, die allen Sprachen gemeinsam sind, nachweisen.

Die damaligen Erdbewohner, die noch in einem verhältnismäßig engen Raum Asiens wohnten, vereinigten sich und beschlossen, einen Turm zu bauen, dessen Spitze bis an den Himmel reichen und der mit einer

Großstadt verbunden sein sollte (1. Mose 11, 4). Was war das Motiv, der Beweggrund zu diesem Beschluß? Es wird uns in der Bibel ausdrücklich gesagt: „Daß wir uns einen Namen machen!" Für diesen Bau der ersten Großstadt und des höchsten Turmes war also der Hauptbeweggrund, sich einen Namen zu machen, geltend, also das trotzige Streben nach Macht und Ruhm und nach Befreiung aus der Abhängigkeit von Gott. Das bedeutet, daß die damalige Menschheit in eine gewisse Konkurrenz zu dem bisher überragenden Namen Gottes treten wollte. Professor Mag. Hellmuth Frey schreibt in seinem „Buch der Anfänge": „Neben der naturhaften, gottgeordneten Linie in der Entfaltung der Völkerwelt will der biblische Schriftsteller eine zweite, von unten bestimmte dämonische Linie enthüllen und aus ihr die Not in der volklichen Geschiedenheit ableiten, das Widereinander, das Einandernicht-verstehen-können, den unversöhnlichen Widerspruch der Lebensnotwendigkeiten, Haß, Kluft, Kampf und Vergewaltigung[48]." Der Turmbau zu Babel ist also Zeugnis des wachsenden Abfalls von Gott und einer sich herausbildenden Religiosität ohne den allein wahren Gott. Professor Frey schreibt weiter: „Jetzt schwillt es an zum Streben, das alle Schranken zerbrechen, die letzte Abhängigkeit von einer ewigen Macht abschütteln, den Fuß in den Himmel setzen und den Namen ‚Mensch' an die Stelle Gottes in die Sterne schreiben will[49]."

Der zweite Gedanke, der die damalige Menschheit trieb, bestand darin, eine Riesenstadt zu bauen und damit die Macht des Menschengeschlechts zu konzentrieren.

In welcher Weise wurde nun dieser Turm gebaut? Gottes Wort der Bibel berichtet uns, daß er aus Ziegel erstellt und mit Erdharz gefestigt werden sollte (1. Mose 11, 3). Es ist interessant, die Spuren uns erhaltener Reste aus der damaligen Zeit zu betrachten. Professor Koldewey, ein Forscher der Archäologie, leitete die Ausgrabungen an der Stelle des Turmes von Babel. Er mußte feststellen, daß von dem eigentlichen Turm nur noch Reste des ungeheuren Fundamentes zu finden waren, auf welchen man in späterer Zeit einen neuen Turm erbaut hatte.

Der babylonische König Nabupolassar überlieferte uns folgenden Bericht: „Zu jener Zeit gebot mir Marduk, den Turm Babels, der in der Zeit vor mir geschwächt worden, zum Einsturz gebracht war, sein Fundament an die Brust der Unterwelt fest zu gründen, während seine Spitze himmelan strebe." Sein Sohn Nebukadnezar fuhr fort: „Etemenankis Spitze aufzusetzen, daß mit dem Himmel sie wetteifere, legte ich Hand an[50]." So wurde also auf die Reste des Fundamentes des biblischen Turmes ein neuer Turm aufgebaut, der auch „mit dem Himmel wetteifern" sollte.

Der Verfasser dieses Büchleins hat selber ums Jahr 1935 in Berlin im sogenannten Pergamum-Museum die Nachbildung des Turmes von Babel gesehen. Professor Koldewey hat dieses Modell des alten Turmes in Gips herstellen lassen, so wie vermutlich der ursprüngliche Turm konstruiert war.

An den Ausgrabungen und Forschungen bezüglich des ursprünglichen Turmbaus zu Babel hat sich auch der Forscher Oppert beteiligt. Wie die wissenschaftlichen Untersuchungen bestätigen, waren im Fundament nur asphaltierte Ziegel (Asphalt = Erdharz, 1. Mose 11, 3) verwendet worden. Der Grund hierfür war, daß der Turm in Flußnähe stand und daher die häufigen Hochwasser und die ständige Bodenfeuchtigkeit in Rechnung gesetzt werden mußten. So waren die Grundmauern des Turmes zu Babel wasserundurchlässig und widerstandsfähig gemacht worden.

Ein alter Bericht sagt uns, daß die Götter ärgerlich geworden seien, weil die Menschen einen bestimmten Bau errichtet hatten. Sie brachen, so wird erzählt, den Bau nieder, zerstreuten die Menschen weithin und „machten ihre Sprache fremd“[51]. Ähnlich lautet ja der biblische Bericht (1. Mose 11, 8. 9).

Hier befinden wir uns nun an der Stelle, wo die Bibel uns Kunde gibt von der Entstehung der Sprachen. Wie wir in Vers 1 von 1. Mose 11 sehen, existierte ursprünglich nur eine Sprache. Dies wurde seit dem Turmbau anders. Gemäß 1. Mose 11, 5–9 fuhr Gott hernieder und verwirrte ihre Sprache (V. 7), daß „keiner des andern Sprache“ verstand. Seit dieser Zeit also gibt es keine Gemeinschaft der Völker mehr, sondern getrennte Völker mit verschiedenen Sprachen.

Im Buch Daniel wird uns noch ein besonderer geistiger Hintergrund dieses Ereignisses geschildert. Da erfahren wir in Daniel 10, daß jedes Volk eine geistliche Führung besitzt, nämlich einen Engel, der das Volk zusammenfaßt und repräsentiert. So nennt Daniel 10, 13 einen Engelfürsten des Perserlandes und Daniel 10, 20 einen Engelfürsten von Griechenland. Jedes Volk ist also nach biblischer Botschaft von einer geistigen Größe geleitet, einer überirdischen Macht, welche seit dem Sündenfall nicht mehr durch göttliche Engel dargestellt wird, sondern durch Engel der Finsternis, durch Dämonen. Wenn wir diese Tatsache, die uns die Bibel vor Augen stellt, bedenken, so werden wir die Politik der Völker von Anfang an bis auch in die Gegenwart hinein besser verstehen. In der Politik der Völker regieren die Dämonen weithin.

Es ist herrlich, daß Gott die Tatsache der Völkertrennung und Sprachenzerstreuung nicht für dauernd ungehemmt herrschen ließ, sondern daß er, als *seine* Zeit gekommen war, in diese zerrissene Welt eine geistliche Einheit, ein Volk im höheren Sinn hineinstellte. Wo in der Welt echte, d. h. wiedergeborene Kinder Gottes zu geisterfüllten Konferenzen und Versammlungen zusammenkommen, ist trotz nationaler Verschiedenheiten Gottes Volk durch den Heiligen Geist geeint zur Gemeinde Jesu Christi. So erfahren wir aus der Bibel, wie die verschiedenen Sprachen entstanden, wie aber der lebendige, barmherzige Gott über diese Zertrennung der Völker hinweg eine Einheit seiner Liebe gestellt hat, den Leib Christi, die Gemeinschaft der Gläubigen.

Der Hase als Wiederkäuer

Die Kaninchen wiederkäuen wohl, aber sie spalten die Klauen nicht; darum sind sie unrein. Der Hase wiederkäut auch, aber er spaltet die Klauen nicht; darum ist er euch unrein.

3. Mose 11, 5. 6

Es geschah im ersten Weltkrieg in einem Lazarett in Berlin. Dort wurde in einem Saal, der mit lauter Schwerkranken belegt war, in der Nacht die Schwester alarmiert, welche den wachhabenden Arzt sofort zu einem Verwundeten holen mußte, der anscheinend dem Tode nahe war. Als beide in den Krankensaal eintraten, sahen sie den Schwerverwundeten totenbleich hoch aufgerichtet mitten im Saal stehen. Er hielt seine Bibel in der ausgestreckten Hand und rief mit letzter Kraft durch den Saal zu seinen Kameraden hin: „Und es ist doch alles wahr, was darin steht!“ Dann legte er sich ins Bett, schloß die Augen und starb.

Dieses Zeugnis eines Sterbenden von der Zuverlässigkeit der Bibel scheint bei unserem heutigen Text in Frage gestellt zu sein. Ist es denn nicht eindeutig erwiesen, daß der Hase und das Kaninchen keine Wiederkäuer sind? Betrachten wir zunächst einmal den 5. Vers unseres Textes, wo von den Kaninchen die Rede ist. Im hebräischen Urtext steht an dieser Stelle das Wort „schaphan“, dessen Bedeutung im großen hebräischen Lexikon von Gesenius folgendermaßen erklärt wird: „Der Klippdachs, hyrax syriacus, als wiederkäuend zu den unreinen Tieren gerechnet 3. Mose 11, 5; 5. Mose 14, 7; als Bewohner der Berge und Felsen Psalm 104,18; als gesellig lebend und klug bezeichnet Sprüche 30, 26.“ Hier wird also dargelegt, daß das hebräische Wort des Urtextes wohl nicht mit Kaninchen zu übersetzen sei, wie es Luther tut, sondern mit Klippdachs. Der Klippdachs ist tatsächlich ein Wiederkäuer. Dies bestätigen Professor Heck in „Brehms Tierleben" und Professor Dr. Winer im „Biblischen Realwörterbuch".

Doch gibt es Übersetzer und Ausleger, die ebenso wie die Septuaginta das hebräische Wort mit „Kaninchen" übersetzen. Wenn diese Übersetzung richtig ist, was durchaus möglich ist, trifft es ebenfalls zu, daß die Kaninchen und die Hasen, welche zur gleichen Familie gehören, Wiederkäuer sind. Dazu äußert sich zum Beispiel Professor Dr. Hediger, der Direktor des Zoo in Zürich, in seinem Buch „Jagdzoologie — auch für Nichtjäger" 1953. Professor Hediger hat unter Bezugnahme auf frühere wissenschaftliche Untersuchungen des Biologen Taylor, des Franzosen Morot und des Deutschen W. Harder festgestellt, daß Hasen und Kaninchen tatsächlich Wiederkäuer sind. Sie wiederkäuen aber nicht wie etwa andere bekannte Wiederkäuer, sondern fressen ihre eigenen Kotböhnchen, so daß diese zwecks besserer Futterverwertung ein zweites Mal den Verdauungskanal durchwandern.

Ich selbst habe, als ich in meinem Pfarramt in Frankfurt a. M. tätig war, am 28. September 1950 im Schaukasten des Frankfurter Zoo an der Hauptwache in Frankfurt folgende Bekanntmachung gelesen: „K a n i n c h e n a l s W i e d e r k ä u e r: Verschiedene britische Züchter konnten unlängst feststellen, daß das Kaninchen zweierlei Kot produziert, von welchem der eine nochmals gegessen, also gewissermaßen wiedergekäut wird. Bis zu 90 Prozent können auf diese Weise den Darmkanal zweimal passieren, ja diese wiederaufgenommenen Böhnchen können im Magen vorübergehend gespeichert und frisch aufgenommenes Futter daran vorbeigeleitet werden. Dieser Vorgang war schon 1882 einmal von einem Franzosen beobachtet und beschrieben, aber als zu phantastisch zurückgewiesen worden."

Wiederum zeigt sich also, daß sich die Zuverlässigkeit der Bibel im Licht moderner Wissenschaft auch in solch einer nebensächlichen und unbedeutenden Sache erweist. Es ist wichtig und köstlich, daß uns Gottes Wort nichts Falsches verkündigt, sondern bis in die Einzelheiten hinein die Wahrheit darstellt. Daher besitzt die Bibel einzigartige Kraft. Die Worte der Heiligen Schrift sind etwas völlig anderes als menschliche Worte, auch wenn diese von noch so berühmten Männern geschrieben sind. Deshalb hat Gottes Wort die Fähigkeit, Menschenherzen zu überwinden und zu erleuchten.

In Indien erlebte ein Missionar, daß ihm nach einer Straßenpredigt ein Räuberhauptmann namens Muria entgegentrat und ihm zurief: „Mich wird Jesus nicht überwinden!" Dabei zeigte er seine starken Arme, welche infolge früherer siegreicher Kämpfe mit Narben bedeckt waren. Nach einiger Zeit erwies sich auch an diesem trotzigen Räuberhauptmann die Wunderkraft des Gotteswortes. Er bekehrte sich und wurde ein Christ.

Ein Tag fehlt in der Sonnenzeit

Josua zog hinauf von Gilgal und alles Kriegsvolk mit ihm und alle streitbaren Männer. Und der Herr sprach zu Josua: Fürchte dich nicht vor ihnen, denn ich habe sie in deine Hände gegeben; niemand unter ihnen wird vor dir stehen können. Also kam Josua plötzlich über sie; denn die ganze Nacht zog er herauf von Gilgal. Aber der Herr schreckte sie vor Israel, daß sie eine große Schlacht schlugen zu Gibeon, und jagten ihnen nach den Weg hinan zu Beth-Horon und schlugen sie bis gen Aseka und Makkeda. Und da sie vor Israel flohen den Weg herab zu Beth-Horon, ließ der Herr einen großen Hagel vom Himmel auf sie fallen bis gen Aseka, daß sie starben. Und viel mehr starben ihrer von dem Hagel, als die Kinder Israel mit dem Schwert erwürgten. Da redete Josua mit dem Herrn des Tages, da der Herr die Amoriter dahingab vor den Kindern Israel, und sprach vor dem gegenwärtigen Israel: „Sonne, stehe still zu Gibeon, und Mond, im Tal Ajalon!" Da stand die Sonne und der Mond still, bis daß sich das Volk an seinen Feinden rächte. Ist dies nicht geschrieben im Buch des Frommen? Also stand die Sonne mitten am Himmel und verzog unterzugehen beinahe einen ganzen Tag. Und war kein Tag diesem gleich, weder zuvor noch danach, da der Herr der Stimme eines Mannes gehorchte; denn der Herr stritt für Israel. *Josua 10, 7—14*

Das geschichtliche Ereignis, welches in diesem Kapitel beschrieben wird, erregt bei den Zweiflern stärksten Anstoß. Man muß ja auch offen zugeben, daß das Wunder unserer Erzählung unbegreiflich ist. Da sollen die Sonne und der Mond ihren Lauf fast 24 Stunden gebremst haben, also ein unglaubliches Weltereignis soll stattgefunden haben. Wir wollen dieses Wunder deshalb einer genauen Prüfung unterziehen.

Zunächst treten uns allerhand Kostbarkeiten und Herrlichkeiten in unserem Bericht entgegen. Es wird geschildert, wie Josua gegen einen übermächtigen Feind, die Amoriter, aufmarschieren muß. Begreiflicherweise wird der Feldherr Josua allerlei Sorgen in seinem Herzen bewegt haben. Doch bevor Josua seinem bedrückten Herzen in einem Gebet Luft macht, spricht schon Gott in seiner Liebe zu Josua: „Fürchte dich nicht vor ihnen, denn ich habe sie in deine Hände gegeben; niemand unter ihnen wird vor dir stehen können" (Jos. 10, 8). Hier leuchtet uns zunächst die zarte, mitfühlende Liebe unseres Gottes entgegen. Er weiß, daß Josua besorgt ist, und da überläßt der Herr seinen Knecht nicht dem Lauf der Sorgen, sondern aus freien Stücken sucht er Josua auf und tröstet ihn in erbarmungsvoller Weise. Beweise solcher zarten, aufrichtenden Liebe Gottes finden wir mehrfach in der Bibel. Ich möchte erinnern an 1. Mose 28, 15. Jakob befindet sich auf der Flucht. Allein wandert er bis zum Einbruch der Nacht und sucht einen Ort, wo er sich zum Schlaf niederlegen kann. Da begegnet ihm Gott in einem Traum und ruft ihm zu: „Siehe, ich bin mit dir und will dich behüten, wo du hinziehst." Aus den mehreren biblischen Beispielen, die sich anführen ließen, will ich noch an Johannes 14, 27 erinnern, wo Jesus seine Jünger tröstet: „Euer Herz erschrecke nicht und fürchte sich nicht!" Die Jünger, welche ahnten, daß ihnen die Trennung von Jesus bevorsteht, wurden auf diese Weise vom Herrn getröstet. Während der Apostel Paulus in Korinth seine Missionstätigkeit entfaltete, erlebte er allerlei Widerstand und Lästerung. Als er, erschüttert von der Feindseligkeit der dortigen Juden, bei Justus Zuflucht fand, sprach Gott durch eine Vision in der Nacht zu Paulus: „Fürchte dich nicht, sondern rede und schweige nicht! denn ich bin mit dir, und niemand soll sich unterstehen, dir zu schaden" (Apg. 18, 9. 10).

Ganz ähnlich verfährt der lebendige, allmächtige Gott mit Josua. Gestärkt durch den Zuspruch des Herrn faßt Josua neuen Mut. In rechter Glaubensgewißheit wagt er sogar, der Sonne und dem Mond zu gebieten: „Sonne, stehe still zu Gibeon, und Mond, im Tal Ajalon!" (Jos. 10, 12.) Wunderbarerweise geschieht das, was Josua in göttlicher Vollmacht befiehlt. Es heißt in Vers 13: „Da stand die Sonne und der Mond still." Ja, unser Text geht noch herrlicher weiter. In Vers 14 wird gesagt: „Und war kein Tag diesem gleich, weder zuvor noch danach, da der Herr der Stimme eines Mannes gehorchte." Hier steht die unerhörte Tatsache, daß der heilige Gott einem Menschen „gehorchte", natürlich in freiwilliger und gnädiger Zuneigung. Ist es nicht überwältigend, daß die Kinder Gottes in aller Welt ähnliches erleben dürfen? Gott „gehorcht" auch unserer Stimme oft genug, indem er die Gebete seiner Gläubigen erhört. Blicken wir doch auf Markus 11, 24; Johannes 15, 7; 16, 24 und Jakobus 5, 16, wo uns das gleiche verheißen ist.

Und nun wollen wir gründlich prüfen, ob dieses Wunder an Sonne und Mond durch Zeugen bestätigt wird. Ich möchte an dieser Stelle ausdrücklich sagen, daß wir als Bibelgläubige einer solchen Bestätigung nicht bedürfen, auch nicht der Beweise durch Wissenschaft. Es tut uns aber wohl, es stärkt unseren Glauben, wenn wir immer wieder erleben dürfen, wie Gottes Wort so zuverlässig ist, daß es auch im Licht moderner Wissenschaft bestehen kann.

Nun besitzen wir gerade zu diesem Wunder Zeugnisse aus verschiedenen Gegenden der Welt. Aus Mexiko, also von der anderen Halbkugel der Erde, berichten die sogenannten „Annalen von Cuauhtitlan", daß dort eine Nacht beobachtet worden ist, die lange Zeit nicht endete. Da Mexiko auf der anderen Hälfte der Erdkugel liegt, ist es durchaus richtig, daß dort die Nacht verlängert war. Ferner gibt es rund um die Erde herum verschiedene Überlieferungen, die ebenfalls von einer verlängerten Nacht oder einem verlängerten Tag und von einem Ausbleiben der Sonne und des

Mondes berichten, z. B. in China, Peru und Polynesien. Der griechische Schriftsteller Herodot erzählt, daß er von ägyptischen Priestern erfahren habe, daß man dort einen langen Tag beobachtete, der als ein Wunder angestaunt wurde. Dieser Bericht befand sich in den ägyptischen Tempelaufzeichnungen.

In neuerer Zeit hat sich ein bedeutender Gelehrter, Dr. Welikowski, mit dem biblischen Bericht über den Stillstand von Sonne und Mond beschäftigt. Dieser Gelehrte ist ein geistvoller Wissenschaftler, der sich auf den verschiedensten Gebieten als Fachmann betätigte. Er forschte als Archäologe, Paläontologe, Astronom, Geologe und Kernphysiker. Er hat die eigenartigen Ereignisse von Josua 10 auf einen Kometen zurückgeführt, der zur Zeit des Mose und abermals zur Zeit des Josua seinen Weg in Erdnähe nahm. Dadurch kam eine kosmische Katastrophe ins Rollen. Dieser Komet bewirkte es, daß der Sonnenlauf um fast 24 Stunden verzögert wurde. Auf der Erde war dieser Weltkörper deutlich dadurch wahrnehmbar, daß eine Unmenge von Meteoriten auf die Erde niederfielen. Welikowski findet die biblische Bestätigung in Josua 10, 11, wo berichtet wird: „Der Herr ließ einen großen Hagel vom Himmel auf sie (die Amoriter) fallen . . ., daß sie starben[52]."

Wiederum möchte ich an dieser Stelle betonen, daß ich es ablehne, ein solches Wunder der Heiligen Schrift auf natürliche Weise, also astronomisch oder physikalisch, erklären zu wollen. Wunder lassen sich nicht erklären. Ich möchte damit nur denen, die im Zweifel vor dieser Geschichte stehen, eine Brücke bauen zum Verständnis. Wenn schon die Wissenschaft es für möglich, ja in diesem Fall für Tatsache hält, daß ein Steinhagel auf die Erde fiel, der Menschen tötete, und daß der Lauf der Sonne und des Mondes um fast 24 Stunden verzögert wurde, wieviel mehr kann Gott als klares Wunder solche Dinge vollbringen.

Eine weitere wissenschaftliche Bestätigung dieses Wunders liegt darin, daß der bedeutende britische Astronom Sir Edwin Ball aufgrund eingehender Berechnungen der Sonnenbahn festgestellt hat, daß 24 Stunden in der Sonnenzeit fehlen. Professor C. A. Totten an der Yale-Universität (USA) berichtet von einem Professor der Astronomie, der entdeckte, daß die Erde, wenn man sehr genau berechnet, nicht ganz 24 Stunden außerhalb der Zeitrechnung steht, sondern, wie die Bibel wörtlich sagt, nur „beinahe einen ganzen Tag" (Jos. 10, 13)[53].

Also stimmt die Überschrift dieses Kapitels: „Ein Tag fehlt in der Sonnenzeit." Die Erzählung Josua 10 zeigt uns, wie mächtig, gewaltig und voller helfender Barmherzigkeit unser Herr ist. Er tröstet den Josua und jeden, der sich im Glauben auf Gott stützt. Er erhört Gebet und tut Wunder, wenn wir ihm vertrauen. Hinter all der Wundermacht Gottes steht beherrschend seine Liebe, welche den Gotteskindern die geöffnete Tür zeigt, durch welche wir jederzeit zu unserem Herrn kommen dürfen mit all unseren Anliegen. Ein Missionar, der aus dem Missionsgebiet nach Hause zurückkehrte, lernte auf dem Schiff einen Schweizer Ingenieur kennen. Als sie schon dem Ziele ihrer Fahrt näher kamen, sagte der Ingenieur zum Missionar, daß er sich schon darauf freue, heute nacht, sobald sein Zug zu Hause angekommen sei, zu seiner Mutter eilen zu können. Als der Missionar fragte, wie er denn in der Nacht in das verschlossene Haus hineingelangen könne, antwortete ihm der Ingenieur, indem er seinen Koffer öffnete und einen Schlüssel herausnahm: „Diesen Schlüssel gab mir meine Mutter, als ich damals von ihr Abschied nahm und ins Ausland reiste, und sagte mir: ‚Diesen Schlüssel gebe ich dir mit, damit du jederzeit zu Hause Eingang findest.'" So hat auch unser Herr und Heiland seinen Gläubigen den Schlüssel gegeben, mit dem wir jederzeit zu ihm kommen können, um ihm unser Herz auszuschütten. Wir haben Zugang zur Gnade (Röm. 5, 1. 2).

Ein Fisch und ein Baum als Werkzeug Gottes

Aber der Herr verschaffte einen großen Fisch, Jona zu verschlingen. Und Jona war im Leibe des Fisches drei Tage und drei Nächte. Und der Herr sprach zum Fische, und der spie Jona aus ans Land. — *Jona 2, 1. 11*

Gott der Herr aber verschaffte einen Rizinus, der wuchs über Jona, daß er Schatten gäbe über sein Haupt und errettete ihn von seinem Übel; und Jona freute sich sehr über den Rizinus. Aber Gott verschaffte einen Wurm des Morgens, da die Morgenröte anbrach; der stach den Rizinus, daß er verdorrte. Als aber die Sonne aufgegangen war, verschaffte Gott einen dürren Ostwind; und die Sonne stach Jona auf den Kopf, daß er matt ward. Da wünschte er seiner Seele den Tod und sprach: Ich wollte lieber tot sein als leben. — *Jona 4, 6—8*

(bitte das ganze Buch Jona lesen)

Auch dieser Text bereitet vielen Menschen Anstoß. Betrachten wir also den Bericht des Propheten Jona mit prüfendem Blick!

Der Prophet Jona wird von Gott damit beauftragt, in die gottlose Stadt Ninive zu gehen und dort Buße zu predigen. Dieser Ruf Gottes geschah an Jona etwa um das Jahr 800 v. Chr. In Vers 3 des 1. Kapitels wird berichtet: „Aber Jona machte sich auf." Dieser Satz klingt hoffnungsvoll, klingt nach Gehorsam. Aber die Fortsetzung lautet leider: „und floh vor dem Herrn". Jona gehorchte also nicht dem göttlichen Ruf, sondern versuchte, vor Gott zu fliehen. Achten wir darauf, daß nach 2. Könige 14, 25 Jona tatsächlich ein Knecht Gottes ist, also ein Mann, der seinem Herrn zur Verfügung steht. Trotzdem versagt er jetzt, wie uns Jona 1, 3 erzählt wird, und will als Gottes Knecht sich dem Willen seines Herrn entziehen. Dabei begeht er die ungeheure Torheit, sich einzubilden, daß man vor Gott fliehen könne. Er muß seinen Irrtum auch bald erkennen. Als er sich unterwegs befindet auf einem Schiff, welches ihn nach Spanien bringen soll, kommt ein schwerer Sturm, der das Schiff zu vernichten droht. Die Seeleute erkennen, daß Jona die Ursache dieses Unwetters ist. Jona selber bietet ihnen an, das Schiff dadurch zu retten, daß man ihn ins Meer wirft. Sie folgen seinem Rat, wie in Jona 1, 15 steht: „Sie nahmen Jona und warfen ihn ins Meer; da stand das Meer still von seinem Wüten." Nun erlebt Jona ein Wunder, das man verstandesmäßig nicht begreifen kann. Jona 2, 1 heißt es: „Aber der Herr verschaffte einen großen Fisch, Jona zu verschlingen." Im Verlauf dieser Geschichte hören wir dann in Vers 11 desselben Kapitels, daß der Fisch den Jona nach drei Tagen an Land gespien hat. Hier setzen bei vielen Leuten die Zweifel ein. Man sagt, daß ein großer Fisch wie der Wal einen so engen Schlund hat, daß er keinen Menschen verschlingen könne, sondern sich nur von kleinen Fischen nährt. Im Bibeltext steht jedoch nicht, daß es sich um einen Wal üblicher Art handelt. Lediglich von einem großen Fisch ist die Rede. Nun ist schon längst eine Abart des Wal, der sogenannte Pottwal, bekannt, welcher eine Länge bis zu 23 Meter erreicht und nur im Unterkiefer kleine, weit auseinanderstehende Zähne besitzt, die bei den älteren Tieren ausfallen. Außerdem hat er einen Schlund, in dem er bequem einen Mann zu verschlingen vermag. Im Magen des Pottwals können sechs Menschen Platz finden. So berichtet Professor Jubin von der Pariser Hochschule für Naturwissenschaften.

Nun fügt es sich, daß gerade in unserem Jahrhundert einige Fälle bekannt geworden sind, die uns bestätigen, daß Menschen von einem solchen Pottwal verschlungen wurden und lebendig herausgeholt werden konnten. Da ist zunächst ein Ereignis zu erwähnen, das im Februar 1918 in der Nähe der Falklandinseln geschah. Dort waren Fischer auf Walfischjagd. Plötzlich tauchte ein Riesen-Pottwal in der Nähe auf. Man setzte zwei Boote aus, um das große Tier zu erlegen. Der Wal brachte ein Boot zum Kentern. Der darin befindliche Matrose James Bartley verschwand. Als man das Tier an Bord gebracht und aufgeschnitten hatte, fand man im Magen den vermißten James Bartley. Sein Lederanzug hing ihm in Fetzen vom Leib, die ganze Körperhaut erschien wie gegerbtes Leder, vermutlich infolge der Wirkung der Magensäure des Fisches. Bartley war nicht tot. Nach etwa einer halben Stunde hatte man ihn zum Leben erweckt, so daß er von seinem Erlebnis erzählen konnte. Der Fall ist untersucht und bezeugt worden von einer Gruppe französischer Gelehrter. Professor Dr. Wilder-Smith berichtet, daß in den letzten 50 Jahren mehrfach Matrosen von gewissen Walarten verschlungen wurden, und schildert ein Beispiel der Errettung eines Mannes, der ebenfalls von einem Wal verschlungen war. Dieser Vorfall ist durch eine eidesstattliche Erklärung bestätigt[54]. Auch Jauncey führt einen ähnlichen Vorfall aus dem Jahre 1931 an[55]. Ein ähnliches Vorkommnis geschah im Jahr 1939. Der nationalsozialistische „Illustrierte Beobachter", der ganz gewiß nicht die Richtigkeit der Bibel bestätigen wollte, bietet seinen Lesern ein Ereignis aus der Südsee dar. Dort wurde bei der Waljagd ein Walfänger von einem Zahnwal verschlungen. Acht Stunden später gelang es, den Wal als Beute an Land zu bringen. Zum großen Erstaunen aller Beteiligten wurde der verschlungene Walfänger unversehrt aus dem Magen des Tieres geborgen. Gerade dieser letzte Bericht einer Zeitung, die der Bibel gegenüber gegnerisch eingestellt war, ist eine besondere Bestätigung der Tatsache solcher Erlebnisse[56].

Die Heilige Schrift berichtet, daß Jona als Gefangener im Leib des Fisches Buße tat und daß Gott den Fisch dazu veranlaßte, den Jona an Land zu speien. Nun ist wissenschaftlich erwiesen, daß die Pottwale die eigenartige Gewohnheit haben, kurz vor ihrem Tode die nächste Küste aufzusuchen und den Inhalt ihres Magens ans Ufer zu erbrechen. So läßt sich auf natürliche Weise die Rettung des Jona aus dem Pottwal erklären. Wiederum möchte ich sagen, daß diese Erklärung jedoch nicht das Wunder, durch welches Jona aus der Gewalt des Fisches befreit wurde, widerlegt. Vielmehr handelt es sich hierbei um ein klares Gotteswunder, welches gerade in dem Augenblick geschah, als es nötig war. Wir können Zweiflern gegenüber darauf hinweisen, daß, wenn schon auf natürliche Weise ein Pottwal unter gewissen Umständen seine Beute ans Land speit, selbstverständlich Gott in einzigartig wunderbarer Weise den Fisch dazu veranlassen kann und veranlaßt hat, Jona ans Land auszuspeien.

Im weiteren Verlauf des Büchleins Jona wird erzählt, daß Jona jetzt gehorcht und in die Stadt Ninive geht, um dort Buße zu predigen. Gemäß der biblischen Überlieferung in Kapitel 3, 3 betrug der Umfang der Stadt Ninive drei Tagereisen, d. h. etwa 90 Kilometer, und der Rauminhalt daher ca. 700 Quadratkilometer. Die Raumausbreitung Berlins umfaßt 884 Quadratkilometer. Bei dieser Größenangabe Ninives sind die Vororte mit eingeschlossen. Die neueren Ausgrabungen haben die ungeheure Ausdehnung der Stadt erwiesen. Die Predigt des Jona brachte gute Frucht. Die Einwohner von Ninive bekehrten sich und taten öffentliche Staatsbuße (Jona 3, 5—9). Diese Erweckung in Ninive ist geschichtlich bezeugt. Der Orientalist Professor Winckler macht darauf aufmerksam, daß zur Zeit des Propheten Jona unter dem assyrischen König Ramannirari III. in Ninive eine religiöse Reformation in Richtung zum Glauben an einen einzigen Gott stattfand[57]. In seiner Gnade erbarmte sich der Herr dieser Großstadt, die nun ihre Sünde erkannt hatte, und bewahrte sie vor dem angedrohten Gericht (Jona 3, 10).

Die Einwohnerzahl der Großstadt Ninive wird in Kapitel 4, 11 mit mehr als 120 000 Menschen beziffert, die „nicht wissen Unterschied, was rechts oder links ist"! Dieser Ausdruck bezeichnet alle Kinder bis zu sieben Jahren, so daß man bei 120 000 Kindern unter sieben Jahren mit einer Gesamtbevölkerung von etwa 600 000 Menschen rechnen kann.

Nun sollte sich Jona eigentlich freuen, daß eine so verderbte Großstadt Buße tat und von ihrem Sündenweg umgekehrt ist. Wiederum versagt der Prophet. Statt dem Herrn zu danken für die Segensfrucht der Evangelisation, wurde Jona sogar zornig über die Gnade Gottes und machte Gott Vorwürfe (Jona 4, 1—3). In unsagbar liebevoller und geduldiger Art spricht Gott mit seinem zürnenden Knecht, und zwar zunächst durch eine gleichnishafte Handlung. Jona suchte Schutz vor der Sonnenhitze im Schatten eines Rizinus (Jona 4,5.6). Dieser Baum wuchs auf wunderbare Weise entgegen aller sonstigen Gewohnheit in kurzer Zeit in die Höhe, so daß Jona geschützt war. Auch hier setzen Zweifler ein und weisen darauf hin, daß kein Baum und kein Strauch so schnell wachsen könne. Nun ist es interessant, daß im Jahr 1950 zwei Botaniker aus den San-Gabriel-Bergen im Norden von Pasadena in Kalifornien mit der aufregenden Meldung zurückkehrten, daß sie eine Pflanze entdeckt hätten, die in einigen Minuten meterlange Triebe bekäme. Die beiden Botaniker wurden ausgelacht, weil man diese Berichte für falsch hielt. Daraufhin ist der Botaniker Gustav Albrecht vom Taft-College in Kalifornien mit einem Stab von Fachleuten und der notwendigen Photoausrüstung in diese Berge gegangen, um die Richtigkeit der Aussage zu prüfen. Er photographierte diese rätselhafte Pflanze, die sogenannte „Schuß-Yucca", und zwar so, daß er in jeder Sekunde ein Bild dieser Pflanze aufnahm. Der Botaniker Albrecht mußte zusammen mit seinen Begleitern die Tatsache bestätigen, daß die Schuß-Yucca bei einer bestimmten Wärme unter direkter Sonnenbestrahlung Triebe bis zu drei Metern Länge in etwas mehr als zwei Minuten erzeugt[58]. Nicht wahr, da können wir wieder sagen, wenn schon wissenschaftlich erwiesen ist, daß solch abnorm schnelles Wachstum auf natürliche Weise stattfinden kann, dann kann der Schöpfer aller Dinge, der allmächtige Gott, selbstverständlich in diesem besonderen Fall auch einen Rizinus dazu veranlassen, schneller zu wachsen als sonst.

Der ganze Bericht schließt in sehr feiner Weise damit ab, wie Gott geduldig und liebevoll dem Jona zuredet, seine Torheit einzusehen. Zunächst läßt der Herr durch einen Wurm den Rizinus verdorren und dann durch einen heißen Ostwind und durch intensive Sonnenbestrahlung den Jona matt und schwach werden, und zwar so matt, daß Jona sich den Tod herbeiwünscht (4, 8). Als Jona auch jetzt noch auf Gottes Anrede antwortet: „Mit Recht zürne ich bis an den Tod", belehrt ihn Gott durch Hinweis auf die vielen Leute in Ninive, welche durch die Gnade des Herrn vor dem Untergang gerettet wurden. Es ist anzunehmen, daß daraufhin Jona sich vor Gott beugte. Diese Annahme können wir damit begründen, daß Jona selbst sein Büchlein als Lebensbekenntnis niederschrieb.

Wieder leuchtet aus diesem biblischen Bericht hervor, daß die Bibel im Licht moderner Wissenschaft völlig zuverlässig ist. Ferner strahlt aus dem ganzen Lebensbild des Jona die einzigartige Geduld und Liebe eines Gottes heraus, der seine Kinder sucht, wenn sie im Irrtum sind, und seine Boten nicht im Stich läßt, auch wenn sie ungehorsam sind. Pastor Damrath in Berlin erzählte im Jahr 1949 von einer alten Mutter, die vom Land in die Großstadt Berlin hineinkam und sich dort hilfesuchend an die Stadtmission wandte. Sie hatte gehört, daß die Stadtmissionsschwestern nachts auf die Straße gingen, um verlorene Mädchen zu suchen. Nun klagte die alte Frau, daß auch sie eine verlorene Tochter habe, die sich in Berlin aufhalte. Sie brachte ihre Bitte vor, ob nicht eine Mitternachtsmissionsschwester sich mit ihr auf den Weg machen könne, um das Mädchen zu suchen. Als man die Frau fragte, wo denn ihre Tochter zu finden sei, mußte sie antworten: „Das weiß ich nicht." Die Berliner Stadtmission gab ihr trotzdem eine Schwester zur Seite, welche der halbblinden und schwachen alten Frau helfen sollte, die Tochter zu finden. Vier Abende gingen die beiden durch die dunklen Sündenquartiere Berlins. Viele Leute wurden auf die beiden aufmerksam. Man raunte sich von Mund zu Mund zu: „Die blinde Mutter sucht ihr Kind!" Als beide schon das Suchen aufgeben wollten, sagte eines der Straßenmädchen zu der Schwester: „Schwester, so eine, wie die Frau da beschreibt, so eine sitzt immer da drüben in der Kneipe." Die Mutter ging mit der Missionsschwester in dieses Lokal. Kaum waren sie eingetreten, da hörte man einen Schrei, und ein junges Mädchen flog der Mutter um den Hals. — Die suchende Liebe der Mutter hatte die sündige Tochter gefunden.

Ähnlich so, nur viel herrlicher und gewaltiger, macht es unser Herr mit uns. Er sucht uns in unseren Finsternissen, in unseren Sünden und in unseren Nöten, geht uns nach, zeigt uns sein Erbarmen, bis wir hinfinden zu ihm, den wir durch Sünde beleidigt haben. So ging Gott auf die Suche nach seinem trotzigen Propheten Jona, fand ihn und brachte ihn wieder zurecht zum Gehorsam.

Ein Uhrzeiger läuft rückwärts

Jesaja sprach: Das Zeichen wirst du haben vom Herrn, daß der Herr tun wird, was er geredet hat: Soll der Schatten zehn Stufen fürdergehen oder zehn Stufen zurückgehen? Hiskia sprach: Es ist leicht, daß der Schatten zehn Stufen niederwärts gehe; das will ich nicht, sondern daß er zehn Stufen hinter sich zurückgehe. Da rief der Prophet Jesaja den Herrn an; und der Schatten ging hinter sich zurück zehn Stufen am Zeiger des Ahas, die er war niederwärts gegangen. *2. Könige 20, 9—11*
(bitte 2. Könige 20, 1—11 lesen)

In diesem Kapitel wird von dem König Hiskia berichtet, welcher um 700 v. Chr. im Reich Juda regierte. Er war ein treuer Diener seines Gottes und bekämpfte den heidnischen Götzendienst im ganzen Land. Für den Fall einer Belagerung Jerusalems legte er den sogenannten Siloah-Tunnel an, der im Notfall die Wasserversorgung Jerusalems sicherstellen sollte. 1880 fand man in diesem Tunnel die sogenannte Siloah-Inschrift, die einen Bericht über den Bau des 500 Meter langen Stollens enthält.

Dieser König Hiskia erkrankte schwer, und zwar, wie die Bibel berichtet, an einer „Drüse" (2. Kön. 20,7). Die Gelehrten haben darüber nachgedacht, welche Krankheit wohl damit gemeint sei. Einige vermuten, daß hier die Pocken-Krankheit vorliege. Doch ist dies weit weniger wahrscheinlich als die übliche Auslegung, daß Hiskia an einem lebensgefährlichen Furunkel oder Karbunkel erkrankte. Wie ernst es um den König stand, sagt uns schon der erste Vers des 20. Kapitels. Nun wird an unserer Stelle und außerdem noch Jesaja 38, 1—22 von der Heilung dieses Leidens berichtet. Zunächst erzählen beide Texte, daß der Prophet Jesaja ein Feigenpflaster auf dieses bösartige Geschwür auflegte. Schon im Altertum wird der Feige heilende Kraft zugeschrieben, besonders weil sie Geschwüre zur Reifung führt. Der 7. Vers unseres Textes berichtet von dem Erfolg dieser Behandlung. Doch wird ganz deutlich sowohl in 2. Könige 20 als auch in Jesaja 38 hervorgehoben, daß die Heilung durch das Feigenpflaster nur als zweitrangig anzusehen ist, während die Rettung in dieser gefahrvollen Lage durch die Hilfe des lebendigen Gottes gebracht wurde. Hiskia erbittet sich zur Stärkung seines Glaubens ein sichtbares Zeichen. Als Jesaja ihm als Bestätigung der von Gott zugesagten Heilung vorschlägt, daß an der im königlichen Schloßhof befindlichen Sonnenuhr der Zeiger zehn Stufen, d. h. zehn Grad oder nach unserer Rechnung 40 Minuten, vorwärts oder zurück gehen solle, erbittet Hiskia das „schwierigere" Wunderzeichen, nämlich daß der Schattenzeiger der Sonnenuhr gegen alle Naturgesetzlichkeit 40 Minuten oder zehn Grad rückwärts laufen solle. Hier wäre noch zu erwähnen, daß die Sonnenuhr, um welche es sich hier handelt, von dem früheren König Ahas errichtet wurde. Die Erfinder der Sonnenuhr waren die alten Babylonier, und da Ahas ein Bewunderer ausländischer Kunst und Technik war, hatte er diese babylonische Erfindung an seinem Königshofe eingeführt.

Beide biblischen Berichte bestätigen nun, daß tatsächlich der Schattenzeiger der Sonnenuhr zehn Stufen rückwärts lief. Hier nun setzen wiederum die Kritiker der Bibel ein und behaupten, daß dieses Wunder eine Sage und keine Tatsache sei. Demgegenüber ist folgendes festzustellen.

Aus dem Jahre 1703 wird uns durch den Abt Romuald des Klosters in Metz berichtet, daß dort der Zeiger der Sonnenuhr um $1^1/_2$ Grad zurückging. Auch über dieses „Wunder" hat man nachgedacht. Spinoza, der berühmte Philosoph, führt den Rückgang des Sonnenzeigers auf Brechung der Lichtstrahlen durch eine Nebensonne zurück. Andere meinen, daß durch ein

Erdbeben die Uhr umgestellt worden sei. Die dritte Erklärung ist jedoch die wahrscheinlichste, weil sie sich im Licht moderner Wissenschaft verständlich machen läßt. Man nimmt an, daß durch eine Dunstwolke, welche zwischen die Sonne und die Erde trat, die Brechung des Sonnenlichts verändert wurde, so daß der Schatten des Sonnenzeigers eben rückwärts lief.

Hierzu möchte ich nun besonders verweisen auf die interessanten Darlegungen, welche wir in dem Buch des Professors Dr. Schaaffs finden. Professor Dr. Schaaffs spricht in anderem Zusammenhang von einer physikalischen Erscheinung, die er Konzentrationszoneneffekt nennt. Was bedeutet diese physikalische Erscheinung? Professor Dr. Schaaffs schreibt wörtlich: „Wenn man in ein Medium einen fremden Stoff eindiffundieren läßt und das entstehende Konzentrationsgefälle mit einer starken Lichtquelle bestrahlt und erwärmt, tritt ein auffälliger Effekt ein. Es bilden sich Schichten aus, die eine andere Dichte und andere Lichtbrechungsverhältnisse als ihre Umgebung haben und von außerordentlich langer Beständigkeit sein können. Im Laboratoriumsversuch können es Stunden, sogar Tage sein[59]." Wie äußert sich diese physikalische Erscheinung? Das Licht wird in diesen Schichten, die sich zwischen Sonne und Erde eingeschoben haben, durch Brechung und Spiegelung über größere Strecken hin und wie in gekrümmten Medien fortgeleitet. Wenn nun beim Sonnenuhrwunder des Hiskia eine Dunstwolke zwischen Sonne und Erde trat, so konnte dadurch tatsächlich der Schatten des Sonnenzeigers sich rückwärts bewegen. Also die modernste Physik bestätigt die Möglichkeit dieses von der Bibel berichteten Wunders. Erwähnen möchte ich noch, daß das Rückwärtsgehen des Sonnenschattens für die gleiche Zeit durch Berichte in China und anderwärts bezeugt wird.

Nun möchte ich auch an dieser Stelle wieder ausdrücklich betonen, daß es keinesfalls meine Absicht ist, biblische Wunder auf natürliche Weise zu erklären. Wunder sind eben unerklärlich und sind besondere Taten Gottes. So hat in Wirklichkeit Gott dieses Wunder für Hiskia gewirkt. Mir liegt nur daran, für suchende Menschen, die von Zweifeln geplagt werden, eine Brücke des Verständnisses zu bauen. Wenn schon 1703 in Metz ein ähnliches Wunder auftrat, wenn die modernen Physiker unter der Bezeichnung des Konzentrationszoneneffekts ähnliche Erscheinungen sogar im Laboratorium herstellen können, wieviel mehr kann der lebendige und allmächtige Gott ohne alle menschlichen Künste als Schöpfer der Natur solche Dinge geschehen lassen. Wenn wir von diesem Wunder, das uns aus dem Leben des Hiskia berichtet wird, die Linie weiterziehen in unser Leben, so werden bibelgläubige Christen aus eigener Erfahrung bestätigen können, daß es auch im Leben der Kinder Gottes unbegreifliche Wunder gibt, die sich vielleicht hinterher durch ein Zusammentreffen natürlicher Momente erklären lassen. Daß aber oft verschiedene physikalische Ursachen zusammentreten und in unserem Leben ein Wunder wirken, ist ja eine Fügung und Führung des lebendigen Gottes. Er kann schaffen, was er will. Er ist der Allmächtige.

Der Stern der Weisen

Da Jesus geboren war zu Bethlehem im jüdischen Lande, zur Zeit des Königs Herodes, siehe, da kamen die Weisen vom Morgenland gen Jerusalem und sprachen: Wo ist der neugeborene König der Juden? Wir haben seinen Stern gesehen im Morgenland und sind gekommen, ihn anzubeten.
Als sie nun den König gehört hatten, zogen sie hin. Und siehe, der Stern, den sie im Morgenland gesehen hatten, ging vor ihnen her, bis daß er kam und stand oben über, da das Kindlein war. Da sie den Stern sahen, wurden sie hoch erfreut und gingen in das Haus und fanden das Kindlein mit Maria, seiner Mutter, und fielen nieder und beteten es an und taten ihre Schätze auf und schenkten ihm Gold, Weihrauch und Myrrhe. Und Gott befahl ihnen im Traum, daß sie sich nicht sollten wieder zu Herodes lenken; und sie zogen durch einen andern Weg wieder in ihr Land. Da sie aber hinweggezogen waren, siehe, da erschien der Engel des Herrn dem Joseph im Traum und sprach: Stehe auf und nimm das Kindlein und seine Mutter zu dir und flieh nach Ägyptenland und bleib allda, bis ich dir sage; denn es ist vorhanden, daß Herodes das Kindlein suche, dasselbe umzubringen. Und er stand auf und nahm das Kindlein und seine Mutter zu sich bei der Nacht und entwich nach Ägyptenland. Und blieb allda bis nach dem Tod des Herodes, auf daß erfüllet würde, was der Herr durch den Propheten gesagt hat, der da spricht: „Aus Ägypten habe ich meinen Sohn gerufen." Da Herodes nun sah, daß er von den Weisen betrogen war, ward er sehr zornig und schickte aus und ließ alle Kinder zu Bethlehem töten und an seinen ganzen Grenzen, die da zweijährig und darunter waren, nach der Zeit, die er mit Fleiß von den Weisen erlernt hatte. Da ist erfüllt, was gesagt ist von dem Propheten Jeremia, der da spricht: „Auf dem Gebirge hat man ein Geschrei gehört, viel Klagens, Weinens und Heulens; Rahel beweinte ihre Kinder und wollte sich nicht trösten lassen, denn es war aus mit ihnen." *Matthäus 2, 1. 2. 9—18*

Zu den stark umkämpften Berichten der Bibel, die man oft als Mythos abzutun sucht, gehört auch die Geschichte von den Weisen aus dem Morgenland. Wer sind denn diese Weisen? Wenn wir aus dem biblischen Urtext wörtlich übersetzen, so handelt es sich um Magier, d. h. Priester und Gelehrte, die sich mit Sternkunde und auch mit Astrologie, d. h. Sterndeutung, und allgemein mit Naturwissenschaften beschäftigten.

Solche Gelehrte sind uns besonders aus dem babylonischen Altertum bekannt. Sie richteten ihren Blick sehr stark auf die Zukunft. Unter anderem erwarteten sie einen kommenden Weltheiland, der im Westen auftreten würde. Man hat altbabylonische astrologische Tafeln aus der Zeit bis 3000 Jahre vor Christi Geburt gefunden, auf welchen u. a. folgender Satz zu lesen ist: „Wenn das geschieht, dann wird ein großer König im Westen aufstehen, dann wird Recht und Gerechtigkeit, Friede und Freude in allen Landen herrschen und alle Völker beglücken[60]."

Wie sind die babylonischen Astrologen dazu gekommen, sich mit einem Heilskönig des Westens — gemeint ist das Land Kanaan — immer gründlicher und mit wachsendem Interesse zu beschäftigen? Die einfachste Antwort auf diese Frage ist wohl die Tatsache, daß der Prophet Daniel um das Jahr 600 vor Christi Geburt längere Zeit Vorsteher der Weisenzunft in Babylon war (Dan. 2, 48; 5, 11. 12). Die Prophetien von einem Weltheiland, der aus dem Land Kanaan kommen soll (z. B. Dan. 2, 44; 7, 13. 14; 9, 24—26), waren daher den babylonischen Gelehrten und sogar weithin dem babylonischen Volk bekannt. Deshalb suchten auch die Weisen in Matthäus 2 den Weltheiland im jüdischen Land.

Jetzt wollen wir unser Augenmerk auf den „Stern der Weisen" richten. Er besteht erstlich aus einer Sternkonstellation des Jupiter und Saturn im Tierkreiszeichen der Fische. Der Jupiter galt bei allen Völkern und zu allen Zeiten als Glücks- und Königsstern. Der Planet Saturn spielte in der alten jüdischen Überlieferung die Rolle des Schützers Israels. Ja, der römische Schriftsteller Tacitus setzt ihn mit dem Gott der Juden gleich. Das Tierkreisbild der Fische bedeutete für die damalige Auffassung das Zeichen des Westlandes, ja nach jüdischer Tradition das Zeichen Israels und das Zeichen des

Messias. Nun sagten die alten astrologischen Berechnungen, daß der Weltheiland geboren werden würde, wenn Jupiter und Saturn sich im Tierkreisbild der Fische treffen und einige Zeit miteinander vereint bleiben. Als besonders wichtig und entscheidend galt jedoch die noch seltenere Konstellation, wenn Jupiter und Saturn in Opposition zur Sonne im Tierkreisbild der Fische sich begegnen und diese Konjunktion dreimal geschieht. Solche Konjunktionen der beiden Planeten Jupiter und Saturn in der Opposition zur Sonne und in dreimaliger Wiederholung sind äußerst selten. Ein solches Ereignis fand in neuerer Zeit in den Jahren 1682 und 1940 statt und ist erst wieder im Jahre 2258 zu erwarten.

Diese ganz seltene Sternstellung ereignete sich damals im Jahre 7 vor Christi Geburt und wird bezeugt durch neubabylonische Keilschriftaufzeichnungen aus der berühmten Astrologenschule zu Sippar in Babylonien, welche der deutsche Gelehrte P. Schnabel im Jahre 1925 entzifferte. In diesen astronomischen Berechnungen und Notizen wird über den Planetenstand im Sternbild der Fische berichtet. Jupiter und Saturn sind über die Dauer von fünf Monaten genau eingezeichnet. Daher horchte die astrologische Welt auf, daher erwarteten die Sterndeuter und Gelehrten für dieses Jahr ein Weltereignis, nämlich das Kommen des Friedenskönigs, des Weltheilands. Wir wissen sogar genau, zu welchen Zeiten im Jahre 7 v. Chr. diese Konjunktion dreimal stattfand, nämlich am 29. Mai, sodann am 3. Oktober und zuletzt am 4. Dezember. Ende Januar des Jahres 6 v. Chr. trennten sich die Sterne voneinander.

Also diese seltene Sternstellung ist das Signal für die Weisen aus dem Morgenland gewesen, nach dem Westland, nach Kanaan, nach Israel zu ziehen, um den neugeborenen König zu begrüßen.

Nun werden vielleicht manche Leser verwundert fragen, wie denn das stimmen könne, daß diese Sternkonstellation sieben Jahre vor Christi Geburt stattfand. An dieser Stelle müssen wir uns klarmachen, daß unsere heutige Zeitrechnung falsch ist. Nicht die Zeitrechnung der Bibel ist unrichtig, denn in der Bibel gibt es nichts Falsches und keine Fehler. Aber dem Abt Dionysius Exiguus in Rom, der im Jahre 533 n. Chr. den Auftrag erhielt, den Beginn unserer Zeitrechnung rückwirkend festzulegen, sind zumindest zwei Fehler in seiner Berechnung unterlaufen, so daß seine Rechnung nicht stimmt. Jesus ist in Wirklichkeit sieben Jahre früher geboren, als dieser Abt Dionysius errechnet hat. Wir müßten mithin, um ganz richtig die Jahre zu zählen, sagen, daß wir z. B. im Jahre 1969 in Wirklichkeit im Jahre 1976 nach Christi Geburt leben. Also wohlgemerkt, nicht die biblische Rechnung ist falsch, nicht Gottes Wort hat sich getäuscht, sondern der Abt Dionysius im Jahre 533.

Aus unserem Text Matthäus 2 geht klar hervor, daß außer der seltenen Sternkonstellation noch ein besonderer Stern die Geburt des Heilands angezeigt haben muß, der dann die Weisen auf dem Weg nach Bethlehem geführt hat. Mit dieser Frage beschäftigt sich auch die moderne Astronomie. Der Physiker Professor Dr. Schaaffs ist ebenfalls auf dieses Problem eingegangen und meint mit Recht, daß der besondere Stern des Messias, der die Geburt Jesu anzeigte, ein sogenannter Neustern, eine Nova gewesen sein muß[61]. Solche Nova-Sterne treten öfter auf, indem irgendwelche unsichtbaren oder kaum sichtbaren Sterne plötzlich zu mehr als 20 000-facher Helligkeit der Sonne aufleuchten und nach einiger Zeit wieder verblassen. Wie ernst die moderne Wissenschaft diese Frage des Neusternes zur Zeit Jesu nimmt, geht daraus hervor, daß sie mit Hilfe der modernen Radiowellenastronomie, die nicht vom sichtbaren Licht in den Fernrohren abhängig ist, bereits Untersuchungen anstellt über diese Nova, welche damals durch plötzliches Auftreten die Weisen aus dem Morgenland — wir können sie „Professoren der Astronomie aus dem Irak“ nennen — führte. Es handelt sich also in Matthäus 2, 2 um folgende Ereignisse:

1. die ganz seltene Konjunktion von Jupiter und Saturn im Tierkreisbild der Fische, welche die Weisen aus dem Morgenland aufruft, sich nach Israel zu begeben, nach Jerusalem;

2. das Auftreten eines Neusternes, einer Nova, die in ganz besonderer Weise Richtung und Ziel des Weges bestimmt.

Eine weitere Frage der Zweifler und Kritiker taucht auf in bezug auf den Kindermord in Bethlehem. Rienecker weist in seinem „Kommentar zum Matthäus-Evangelium[62]“ mit Recht darauf hin, daß Bethlehem damals nur ein kleiner Ort war, so daß die Zahl der getöteten Knaben etwa zehn bis fünfzehn betragen haben mag. Nach der Meinung des Neutestamentlers Professor D. Zahn waren es etwa 20 bis 40 Knaben[63]. Nun wird von dem jüdischen Geschichtsschreiber Josephus, welcher die Geschichte des Herodes ausführlich geschrieben hat, nichts über diesen Kindermord, den der grausame König beging, berichtet. Doch kann uns dies nicht verwundern, da die Ermordung von etwa 20—40 Kindern in dem Leben des blutdürstigen Herodes kaum noch auffiel. Josephus berichtet über Herodes: „Es war kein König, sondern der grausamste Tyrann, der jemals zur Regierung gelangt ist. Eine Menge Menschen hat er ermordet, und das Los derer, die er am Leben ließ, war so traurig, daß die Umgekommenen noch glücklich zu preisen waren[64].“ Wie grausam Herodes war, geht auch daraus hervor, daß er zwei Männer seiner Schwester Salome, seine Frau Mariamne und seine Söhne Alexander und Aristobul, seinen Schwager und seine Schwiegermutter und noch fünf Tage vor seinem Tode seinen Sohn Antipater umbringen ließ.

So sehen wir in unserem heutigen Kapitel, wie Gott die Sternenwelt, die heidnischen Gelehrten und alle Mächte dieser Welt zu seiner Verfügung hat und sie benützt, um seine Ziele zu erreichen. Er hat die Weisen aus dem Morgenland, von denen übrigens nirgends eine Zahl genannt wird und die in der Bibel auch nicht als Könige bezeichnet werden, in Marsch gesetzt, damit sie als erste Heiden das Jesuskind grüßten. Er hat Jesus vor dem grausamen Mord des Herodes bewahrt, hat die Eltern Jesu nach Ägypten geleitet, wo sie in Sicherheit waren, hat sogar Joseph und Maria finanziell für die Flucht versorgt, indem er die Weisen aus dem Morgenland eine Gabe von Gold überreichen ließ, und hat zuletzt die Eltern Jesu mit dem Kindlein zurückgeführt nach Nazareth. Ja, Gott ist herrlich und leitet die Geschickte der Welt und besonders seiner Kinder in Allmacht.

Weihnachtsgeschichte oder Weihnachtssage?

Es begab sich aber zu der Zeit, daß ein Gebot von dem Kaiser Augustus ausging, daß alle Welt geschätzt würde. Und diese Schätzung war die allererste und geschah zu der Zeit, da Cyrenius Landpfleger in Syrien war. Und jedermann ging, daß er sich schätzen ließe, ein jeglicher in seine Stadt. Da machte sich auf auch Joseph aus Galiläa, aus der Stadt Nazareth, in das jüdische Land zur Stadt Davids, die da heißt Bethlehem, darum daß er von dem Hause und Geschlechte Davids war, auf daß er sich schätzen ließe mit Maria, seinem vertrauten Weibe, die war schwanger. Und als sie daselbst waren, kam die Zeit, daß sie gebären sollte. Und sie gebar ihren ersten Sohn und wickelte ihn in Windeln und legte ihn in eine Krippe; denn sie hatten sonst keinen Raum in der Herberge. Und es waren Hirten in derselben Gegend auf dem Felde bei den Hürden, die hüteten des Nachts ihre Herde. Und siehe, des Herrn Engel trat zu ihnen, und die Klarheit des Herrn leuchtete um sie; und sie fürchteten sich sehr. Und der Engel sprach zu ihnen: Fürchtet euch nicht! siehe, ich verkündige euch große Freude, die allem Volk widerfahren wird; denn euch ist heute der Heiland geboren, welcher ist Christus, der Herr, in der Stadt Davids. *Lukas 2, 1—11*

(Lukas 2, 1—20 lesen)

Nun wollen wir uns die schöne und wunderbare Weihnachtsgeschichte vor Augen stellen. Der erste Vers in Lukas 2 spricht von einer Schätzung, die durch den Kaiser Augustus angeordnet wurde. Zu welcher Zeit fand diese Schätzung statt? Im vorigen Kapitel, in dem wir den „Stern der Weisen" betrachteten, erkannten wir, daß Jesus im Jahre 7 v. Chr. geboren wurde. Aber Cyrenius, unter dessen Regierungszeit gemäß Lukas 2, 2 die Schätzung durchgeführt wurde, amtierte als Landpfleger oder Statthalter von Syrien in der Zeit 4 v. Chr. bis 4 n. Chr. Wie stimmen beide Zeitangaben zusammen?

Man hat vor nicht allzulanger Zeit bei Antiochia ein Bruchstück einer römischen Inschrift aufgefunden. Diese Inschrift berichtet, daß Cyrenius, dessen römischer Name Quirinius lautete, schon früher einmal in den Jahren 10 bis 7 v. Chr. als Legat des Kaisers Augustus in

Syrien tätig war, so daß diese Schätzung tatsächlich „zu der Zeit, da Cyrenius Landpfleger in Syrien war" (Luk. 2, 2) im Jahre 7 v. Chr. stattgefunden haben kann. Bei der Schätzung handelte es sich nun nicht um eine allgemeine Volkszählung, sondern um eine Grundsteuereinschätzung, bei welcher jeder, der im Lande Grund und Boden besaß, dorthin ziehen mußte, wo dieser Grundbesitz lag, um diesen dort registrieren zu lassen. Es geschah genau so, wie Lukas 2 uns berichtet, und das Datum dieser Grundsteuereinschätzung stimmt mit dem Datum der Sternkonstellation in Matthäus 2 völlig überein.

Nun wird von kritischer Seite immer wieder eingewandt, daß unsere alte Tradition, nach der Jesus im Winter geboren wurde, unrichtig sei, da Hirten mit den Herden im Winter nicht auf der Weide sind. Demgegenüber wollen wir einen Kenner des Heiligen Landes zu Rate ziehen, nämlich D. Ludwig Schneller, der darauf hinweist[65], daß in der Umgegend von Bethlehem der Winter ja ganz anders auftritt als im deutschen Lande. Schneller erwähnt, daß er die ersten Veilchen dort zu Weihnachten gepflückt habe. Er erzählt, daß er selber an einem Dezembertag bei Bethlehem sechs Ziegen- und Schafherden gleichzeitig dort gesehen habe. Ja — so berichtet Schneller — die Hirten lieben die Umgegend um Bethlehem besonders, weil sich dort am Ostabfall des Gebirges das mildere Klima deutlich bemerkbar macht. Also steht unserer alten, lieben Überlieferung, daß Jesus zur Winterzeit geboren sei, nichts im Wege. Dazu wollen wir noch beachten, daß die Magier nicht im Mai, als die Sternkonstellation, über die wir im vorigen Kapitel berichteten, zum erstenmal auftrat, nach Jerusalem aufbrachen, weil man in der heißen Sommerszeit nicht weite Strecken zurücklegen wollte, sondern entweder im Oktober oder im Dezember, wahrscheinlich im Oktober. Auch dieses Datum führt uns in die Winterzeit.

Ein besonderes Problem für zweifelnde Menschen tritt in der Weihnachtsgeschichte noch auf, nämlich der Bericht der Bibel, daß Jesus von der Jungfrau Maria geboren ist. Da wird zunächst vielfach behauptet, daß in der Weissagung Jesaja 7, 14a das hebräische Wort für „Jungfrau" nicht ein unberührtes weibliches Wesen darstelle, sondern eine junge Frau. Im Hebräischen steht das Wort „almah". Das Neue Testament in Übereinstimmung mit der Septuaginta übersetzt diese Weissagung des Jesaja mit einem Wort, das im engsten Sinn eine Jungfrau bedeutet. Dann hätte also der Evangelist das hebräische Wort falsch übersetzt und falsch ausgelegt, wenn die Kritiker recht hätten. Nun hören wir einmal, was der große Sprachforscher des Alten Testaments Professor Dr. E. König in seinem Wörterbuch zum hebräischen Wort „almah" sagt. Er schreibt, daß almah „ein mannbares junges Mädchen", „als unberührt gedacht" bezeichnet. Folglich spricht Matthäus 1, 23 mit vollem Recht von einer unberührten Jungfrau. Also ist das Zeugnis der Schrift ganz richtig. Jesus wurde von einer unberührten Jungfrau geboren, was ja auch aus dem biblischen Text des Lukasevangeliums klar hervorgeht (Luk. 1, 27. 34). Hinzu kommt, daß diese für die Zweifler anstößige Geschichte ausgerechnet von einem Fachmann, dem Arzt Lukas, beschrieben wird. Lukas als Arzt hätte bestimmt nicht etwas bezeugt, was unsinnig ist. Wir wollen noch das Urteil des Professors Dr. Rohrbach aus Mainz hören, der in seiner Schrift „Geboren von der Jungfrau Maria" folgendes als exakter moderner Naturwissenschaftler bezeugt: „Gott spricht sein ‚Es werde' in ihren zuvor geheiligten Schoß hinein, damit die neue Schöpfung eingeleitet werde: Es werde ein befruchtetes Ei, und es geschah also. Das ist es, was mit den Worten gemeint ist: ‚Die Kraft des Höchsten wird dich überschatten.' Gottes Wort geht ein in Maria und schafft das befruchtete Ei: ‚Das Wort ward Fleisch' (Joh. 1, 14)." Weiterhin schreibt Professor Rohrbach: „Materie ist nicht, Materie geschieht. Dieses eigentliche, dynamische Verhalten aller Materie läßt vom Glauben her das Zeugnis der Bibel ganz neu aufleuchten, daß Gottes Wort Kraft, Dynamis ist. Wie er spricht, so geschieht's (Ps. 33, 9). Das darf wie folgt interpretiert werden: Gott spricht, und sein Wort hat die — für uns Menschen unbegreifliche — Fähigkeit, sich im Sichtbaren als physikalisch meßbare Energie zu manifestieren, d. h. genau dort, wo das nach seinem Willen geschieht, ereignet sich Materie, ist also Sichtbares als vom Menschen her Erkennbares vorhanden. Im Lichte dieses nur dem Glauben offenbaren (1. Kor. 2, 12—14) Zusammenhangs erscheint auch meine Deutung der Zusage: ‚Die Kraft des Höchsten wird dich überschatten' durch: ‚Gott sprach: Es werde ein befruchtetes Ei, und es geschah also' naturwissenschaftlich denkmöglich[66]."

Herrlich ist es, wiederum zu erkennen, daß die Zuverlässigkeit der Bibel auch nach der Meinung der modernen Wissenschaft nicht anfechtbar ist.

Naturwissenschaft und Wunder

Herr, mein Gott, groß sind deine Wunder und deine Gedanken, die du an uns beweisest. Dir ist nichts gleich. Ich will sie verkündigen und davon sagen; aber sie sind nicht zu zählen.
Psalm 40, 6

Für viele Menschen bedeutet die Bibel ein unglaubwürdiges Buch deswegen, weil in ihr Wunder berichtet werden. Man meint, als modern denkender Mensch den Standpunkt vertreten zu müssen, daß in der heutigen technischen Zeit die biblischen Wunder nicht mehr ernstzunehmen seien. Es handele sich also bei diesen Wunderberichten um Erdichtungen oder Täuschungen. Ob diese Logik richtig ist? Um darüber zur Klarheit zu kommen, wollen wir uns folgendes vor Augen stellen.

1. Es gibt einen geheimnisvollen Hintergrund, der hinter aller sogenannten Wirklichkeit liegt und von der Wissenschaft nicht erreicht wird. Der Physiker Ernst Zimmer schreibt: „Das den verschiedenen Experimenten zugrunde liegende Gemeinsame ist gar kein Objekt mehr, sondern eine Wahrscheinlichkeitswelle, die in einem mehrdimensionalen Raum schwingt, aus der man alle einzelnen physikalischen Beobachtungen richtig berechnen und dann in jedem einzelnen Fall anschaulich mit Bildern, die sich nur gegenseitig widersprechen, deuten kann. Sie selbst aber kann nicht als Objekt in Raum und Zeit vorgestellt werden." Einige Zeilen weiter schreibt derselbe Wissenschaftler: „Die Quantenphysik betont: Alle anschaulichen Vorstellungen der Physik sind Bilder, ‚Fiktionen'" ... „Mehrere sich ausschließende und ergänzende brauchen wir nebeneinander[67]." Darum spricht man in der heutigen modernen Wissenschaft nicht mehr nur von Naturgesetzlichkeit, sondern vielmehr auch von Naturwahrscheinlichkeit. Jauncey schreibt: „Die Herrschaft des unver-

änderlichen Gesetzes hat dem Gesetz der Wahrscheinlichkeit Platz gemacht. Eine physikalische Aussage wird nun selten als unbedingt sicher aufgefaßt, sondern nur innerhalb gewisser Wahrscheinlichkeitsgrenzen" . . . „Immer wieder erlebt es der Physiker, daß das Resultat seiner Untersuchung von Faktoren beeinflußt ist, deren Existenz er sich nicht hätte träumen lassen" . . . „Der Grund, warum ein Wunder unvereinbar mit bekannten Naturgesetzen ist, liegt darin, daß das Wunder Faktoren unterliegt, deren Existenz uns unbekannt sind[68]."

Daher haben, um im Bild darzustellen, wie wenig wir den geheimnisvollen Hintergrund alles Geschehens wissenschaftlich erforschen können, Wissenschaftler etwa folgendes gesagt: Wir modernen Menschen verstehen vom wirklichen Geheimnis der Natur und ihrer Gesetze ebensowenig, wie etwa ein Regenwurm von einer Beethoven-Symphonie versteht oder ein Maulwurf von einem Flugzeugmotor. Ein anderer Naturwissenschaftler hat ein besonders kühnes Bild gebraucht, in dem er unser ausschnittweises Wissen vergleicht mit einer Fliege, die beim Abstauben eines Bildes versehentlich vom Staublappen erfaßt und über das Bild hin und her gezogen wird. So wenig wie die arme Fliege bei diesem „Verkehrsunfall" von dem Bild erkennen kann, über welches sie hin und her gezogen wird, etwa so wenig können wir Menschen von dem Geheimnis der Schöpfung erkennen und schauen.

2. Die moderne wissenschaftliche Erkenntnis gibt zu, daß W u n d e r m ö g l i c h s i n d. So spricht die Heisenberg'sche Ungenauigkeits- oder Unsicherheits-Relation von einer grundsätzlichen Grenze menschlicher Erkenntnis und einer sich daraus ergebenden Unbestimmbarkeit gewisser physikalischer Vorgänge. Der Wissenschaftler Dr. Rudolf Liebig schreibt daher: „Die Natur-

wissenschaft kann mit ihren Methoden übernatürliche Glaubenswahrheiten weder widerlegen noch beweisen[69]." Ein anderer Gelehrter drückt die gleiche Erkenntnis aus, indem er sagt: „Die Naturgesetze altern. Die ‚ehern' genannten Gesetze sind mit der Zeit geworden. Ein ungeheuerlicher Gedanke für herkömmliches Denken. Wir können es dem Kosmos nicht verbieten, weiterzuschreiten und uns neue Gesetze aufzudrängen, damit wir sein Werden und Wesen beschreiben können. Wir können es — vom Standpunkt der Glaubenserkenntnis aus — Gott nicht verbieten, herkömmliche Gesetze übersteigend, durch Wundertaten ein Zeichen für den Glauben aufzurichten[70]."

In die Form eines naturwissenschaftlichen Gesetzes hat der Physiker Professor Pascual Jordan diese Tatsache durch den „Satz der doppelten Verneinung" gefaßt. Er sagt: „Die neuen Erkenntnisse der Physik verneinen das alte Naturbild, das seinerseits Gott verneinte." Während in der früheren Physik der Satz der einfachen Verneinung herrschte: „Wunder sind unmöglich", gilt in der modernen Physik gemäß dem Satz der doppelten Verneinung jetzt die These: „Wunder sind nicht unmöglich!" Damit gibt die modernste Naturwissenschaft zu, daß eben Wunder möglich sind. Deshalb betont der Mainzer Mathematiker und Naturwissenschaftler Professor Rohrbach ausdrücklich: „Will man nach heutiger wissenschaftlicher Terminologie ein Wunderereignis einordnen, so kann man es als ein statistisch seltenes Ereignis bezeichnen. Aussagen über physikalische Vorgänge können wir im Grunde nur in Form von Wahrscheinlichkeitsaussagen machen, d. h. wir können nur über Ereignisse etwas aussagen, die sich genügend oft wiederholt haben. Wir können nicht ausschließen, daß auch ganz seltene Ereignisse eintreten, und bei diesen seltenen Ereignissen können wir, eben weil sie selten sind, keine Gesetzlichkeit feststellen. Das ist zunächst etwas, was verdient, festgehalten zu werden: Auf Grund des vertieften Einblickes in die Naturgesetzlichkeit, den wir heute haben, können wir wissenschaftlich das Eintreten eines Wunders nicht ausschließen. Wissenschaftlich gesehen ist ein Wunder ein sehr unwahrscheinliches, statistisch seltenes, aber nicht unmögliches Ereignis[71]." An anderer Stelle sagt er: „Und wenn ich mich heute überhaupt dazu äußere, so nur deshalb, weil ich weiß, daß es immer noch Menschen gibt, die sich daran stoßen. Denen möchte ich sagen, es gibt heute gar keine Argumente seitens der Wissenschaft mehr gegen die Möglichkeit eines Wunders[72]."

Um sich diese Tatsache einmal durch ein Bild zu verdeutlichen, sei eine kleine Geschichte erwähnt. In einer Herrengesellschaft, in welcher ein alter Sanitätsrat erklärte, daß der ganze Wunderglaube, wie er von den Christen gefordert wird, nicht vor den Resultaten der modernen Wissenschaft bestehen könne, erwiderte ein Glied der Gesellschaft: „Wissen Sie, was das Verwunderlichste am Wunder ist? Daß es im Grunde gar nicht wunderbar ist. Ein Wunder geschieht nämlich nicht im Widerspruch zu den Naturgesetzen, sondern in Übereinstimmung mit uns noch unbekannten Gesetzen der Welt." Sodann führte dieser Mann ein „Wunder" vor. Er nahm ein Lineal in seine Hand, ließ es fallen und fing es mit der anderen Hand wieder auf. Er wies darauf hin, daß er jetzt ein Wunder vorgeführt habe, weil entgegen aller berechtigten Erwartung das Lineal nicht zu Boden gefallen, sondern in der Luft stehengeblieben sei. Als sein Gegner darauf antwortete: „Ihre andere Hand hat doch einfach das Lineal aufgefangen!" sagte der Verteidiger des Wunders, daß ein Wunder gerade darin bestehe, daß eine andere Hand eingreife und etwas vollbringe, was unserem Verstand als unmöglich erschien. Er fügte hinzu: „Ich gehöre zu denjenigen Menschen, die in ihrem Leben schon tausendfach die ‚andere Hand' gespürt haben, die täglich so ungezählte Wunder vollbringt[73]."

Mit Recht bezeugt daher ein Gelehrter: „Es bleibt uns nichts anderes übrig, als still und bescheiden an göttliche Wunder zu glauben."

Das Allerherrlichste ist, daß es ein noch größeres Wunder als alle anderen Wunder gibt, nämlich das Wunder der Erlösung. Daß der lebendige Gott es vollbringt, aus mir elendem Sünder ein frohes, dankbares Gotteskind zu gestalten, ist ein unbegreifliches Wunder. Wenn wir uns biblische Beispiele vor Augen stellen, wird es uns deutlich. Der Erzvater Jakob im Alten Testament war ein Betrüger, der sogar seinen Vater hinterging. Nach seiner Bekehrung an der Jabbokfurt, wo ihm die Sonne der Gnade aufging, war er ein Mann Gottes. Zachäus (Luk. 19) war einer, der seinen Reichtum durch Betrug erworben hatte. Als er seine Sünde dem Herrn bekannte, wurde er durch Jesu Eingreifen ein befreiter und begnadigter Mensch. Saulus verfolgte die Christen grausam. Als er jedoch vor Damaskus die Wirklichkeit Jesu erlebte, wurde er als Paulus ein Bote des lebendigen Gottes. Darum hat der Freiburger Physiker Professor Mie recht, als er auf einer Hochschultagung sagte: „Das Kommen Jesu Christi in unsere Welt ist das große beseligende Wunder, durch welches alle Menschen, denen die Augen dafür geöffnet sind, Ruhe finden aus Suchen, Irren und Verzweifeln, Ruhe in Gott. Dieses Wunder ist größer und bedeutender als alle Wunder, welche die moderne Naturwissenschaft entdeckt hat, weil uns hier Gott als Persönlichkeit entgegentritt. Da weicht das Dunkel, Christus ist das Licht der Welt."

Naturwissenschaft und das Jenseits

Denn was sichtbar ist, das ist zeitlich; was aber unsichtbar ist, das ist ewig. *2. Korinther 4, 18b*

In unserem Textwort urteilt Paulus, daß alles Sichtbare vergänglich ist, daß es aber eine unsichtbare Welt gibt, welche unvergänglich, ewig ist. Kann diese Behauptung im Licht der modernen Wissenschaft bestehen?

Gerade die moderne Physik hat nachgewiesen, daß es eine Welt gibt, die sich unserer Forschung entzieht. Beispielsweise können wir mit unseren Menschenaugen nur dasjenige Licht wahrnehmen, welches zwischen 400 und 800 Billionen Schwingungen in der Sekunde vollführt. Es gibt also eine ganze Welt von Bildern, Farben und Licht, die außerhalb dieser Schwingungszahlen liegt und darum für uns unsichtbar ist. Dr. Müller bezeugt in seinem Buch „Schöpfung, Wunder, unsichtbare Welt", daß unsere Welt, in der wir leben, mindestens 55mal so farbig und mannigfaltig ist, als sie unser Auge zu sehen vermag[74]. Ähnlich verhält es sich auch mit dem Schall. Es gibt eine ganze Welt von Tönen, die wir nicht hören, weil wir nur solche Klänge wahrnehmen können, welche unter 20 000 Schwingungen pro Sekunde haben. So hat man mit Recht erkannt, daß unser Naturbild, das die Wissenschaft bisher erarbeitet hat, einen recht engen Ausschnitt der echten Wirklichkeit darstellt. Ein Gelehrter hat einmal gesagt, daß wir so wenig von der wahren Wirklichkeit verstehen können, wie wir etwa von einer Großstadt sehen könnten, um welche ein hoher Bretterzaun gezogen ist, durch den man nirgends hindurchblicken kann, aber in welchen man einen ganz schmalen Schlitz hineingeschnitten hat. So wenig, wie man durch diesen engen Spalt den Inhalt der Großstadt beobachten kann, so begrenzt ist unser Wissen von der tiefsten Wirklichkeit der Welt. Dr. Rudolf Liebig schreibt: „Zwar macht sich der Mensch viele aufgefundene Naturgesetzmäßigkeiten in der modernen Technik zunutze, doch geben auch die noch so laut gerühmten Entdeckungen der Naturwissenschaft keinen Aufschluß über die letzten Gründe der Erscheinungen und damit keine Einsicht in das eigentliche Wesen der Dinge ... Ganz falsch wäre es, die Existenz von Wirklichkeiten leugnen zu wollen, die man mit wissenschaftlichen Methoden nicht feststellen kann[75]."

Wir möchten an dieser Stelle auch auf die moderne Wissenschaft der Parapsychologie hinweisen, die sich mit okkulten Erscheinungen und Fähigkeiten beschäftigt, welche sich aus bekannten Kräften und Naturgesetzen nicht erklären lassen und den Rahmen der Psychologie überschreiten. Hierzu schreibt ebenfalls Dr. Liebig: „Zusammenfassend kann gesagt werden, daß ... die realen parapsychologischen Phänomene den Beweis für die Existenz einer immateriellen, übersinnlichen Welt liefern[76]." Diese Welt der parapsychologischen Forschungen ist oft eine dämonische Welt, aber eben eine übersinnliche, jenseitige Welt. Professor Karl Heim spricht darum in bezug auf die jenseitige Welt von der „anderen Dimension". Der äußerst nüchterne und scharfsinnige Forscher Anton Neuhäusler verweist bei der Behandlung der Probleme der außersinnlichen Wahrnehmungen auf ein uns noch unbekanntes „geistiges Feld", auf ein „Jenseits".

Hinzu kommt, daß auch die moderne psychologische Forschung eine übersinnliche Kraft voraussetzt, die man Faktor Psi nennt. Man definiert diese übersinnlichen Kräfte des Faktors Psi als Teil einer geistigen Materie, die durch Infiltration in das persönliche Bewußtsein einzelner Menschen eindringen kann. So gibt die menschliche Wissenschaft zu, daß eine übersinnliche Kraft einer geistigen Materie, einer überdimensionalen Welt, existiert, welche wegen ihrer „Jenseitigkeit" naturwissenschaftlich nicht erfaßt werden kann.

Haben wir nun erkannt, daß die biblische Jenseitsbotschaft von der Wissenschaft nicht bewiesen und erklärt werden kann, so ist es kostbar, daß uns Gottes Wort selber über die jenseitige Dimension rechten Aufschluß gibt. Paulus spricht in unserem Text 2. Korinther 4, 18 von der unsichtbaren Wirklichkeit, welche ewig ist. Wie diese unsichtbare Welt gestaltet ist, sagt uns Gottes Wort. Nicht nur regiert Gott auf seinem Herrlichkeitsthron in dieser Welt der Jenseitigkeit, sondern er ist, wie uns die Offenbarung des Johannes (Kap. 4 und andere Stellen) beschreibt, umgeben von Engeln, Herrlichkeitsmächten und von den „vollendeten Gerechten" (Hebr. 12, 22. 23). Selbstverständlich gehört in die Welt der Jenseitigkeit auch die Finsterniswelt. Sie ist bewohnt von einem persönlichen Teufel und seinen Geistern, den Dämonen, und den verlorenen Menschenseelen.

Ja, es gibt sogar in der Bibel Beispiele, wo die unsichtbare Welt ausnahmsweise einmal Menschen sichtbar wird. So sieht Elisa, wie sein Meister Elia auf einem feurigen Wagen mit feurigen Rossen, d. h. von Engelmächten, in den Himmel geholt wird (2. Kön. 2, 11. 12). Ferner werden dem Diener des Elisa wunderbar die Augen geöffnet, so daß er feurige Rosse und Wagen, d. h. Engelmächte, in der Umgebung wahrnimmt (2. Kön. 6, 16. 17). Im Neuen Testament lesen wir die bekannte Geschichte der Verklärung Jesu auf dem Berg (Matth. 17), wo Mose und Elia vor den Augen der dabei befindlichen drei Jünger erscheinen, also aus dem Jenseits sichtbar werden. Der Apostel Paulus berichtet uns, daß er bis in den dritten Himmel, d. h. bis ins Allerheiligste des himmlischen Tempels, entzückt wurde und unaussprechliche himmlische Worte hörte (2. Kor. 12, 2—4). Wiederum bedeutet dieser Text eine Bestätigung der Wirklichkeit einer unsichtbaren Herrlichkeitswelt.

Wie kostbar ist es, daß Menschen, die auf Erden schon als Eigentum Jesu im „himmlischen Wesen" (Eph. 2, 6; Phil. 3, 20; Hebr. 12, 22. 23) heimisch wurden, wissen dürfen, daß sie bei ihrem Ableben sofort in die Herrlichkeitswelt, in dieses Jenseits eingehen dürfen. Zu dem Schächer am Kreuz, der sich in letzter Stunde noch bekehrte, spricht Jesus: „Wahrlich, ich sage dir: „Heute wirst du mit mir im Paradiese sein", also vereint mit Jesus in der jenseitigen Herrlichkeit (Luk. 23, 43). Die Geschichte vom reichen Mann und armen Lazarus (Luk. 16) zeigt uns die Existenz des herrlichen Jenseits und des Jenseits der Verlorenen.

Ja, Gottes Wort verkündet uns sogar noch Genaueres. In dieser Himmelswelt werden die Gläubigen einen Herrlichkeitsleib an sich tragen (2. Kor. 5, 1), sie werden Jesus sehen von Angesicht zu Angesicht (1. Joh. 3, 2; 1. Kor. 13, 12) und werden ihm gleich sein an Herrlichkeit (1. Joh. 3, 2). Dies ist das Jenseits, wo die Gläubigen ihre in Jesus heimgegangenen Angehörigen wiedersehen und wiedererkennen werden. Von dieser jenseitigen Welt berichtet uns die Offenbarung Johannes, daß es dort kein Leid mehr geben wird, kein Geschrei noch Schmerz. Gott wird alle Tränen von unseren Augen abwischen (Offb.7,15—17; 21,4). Freude die Fülle! Freuen wir uns allezeit darüber, daß die Zuverlässigkeit der Bibel nicht nur im Licht moderner Wissenschaft bestehen kann, sondern daß sie glaubensmäßig erfahren wird von jedem Kind Gottes auf Erden und einst in vollkommener Herrlichkeit droben beim Herrn!

Anmerkungen — Quellennachweis

1 Readers Digest, September 1966, S. 51
2 Huntemann, „Angriff auf die Moderne", 1966, S. 30
3 Professor Pascual Jordan, „Der Naturwissenschaftler vor der religiösen Frage", 1967, S. 302
4 Professor Dr. Dr. Dr. Wilder Smith, „Herkunft und Zukunft des Menschen", 1966, S. 65
5 Dr. Rudolf Liebig, „Die andere Offenbarung", 1966, S. 26
6 Professor Dr. Wilder Smith, a. a. O., S. 63
7 Professor Mag. Hellmuth Frey, „Das Buch der Anfänge" 1938, S. 10
8 E. Sauer, „Zweck und Ziel der Menschenschöpfung", 1931, S. 65
9 E. Sauer, „Vom Adel des Menschen", 1947, S. 232
10 Professor Dr. Freiherr von Huene, „Weg und Werk Gottes in Natur und Bibel", 1947, S. 61 und S. 66
11 Professor Dr. Rohrbach, „Biblischer Schöpfungsbericht und moderne Naturwissenschaft", 9. 3. 1955, S. 28
12 Professor Dr. Rohrbach, a. a. O., S. 22
13 Professor Dr. Rohrbach, „Naturwissenschaft, Weltbild, Glaube", 1967, S. 20
14 Bischof Otto Spülbeck, „Der Christ und das Weltbild der modernen Naturwissenschaft", Berlin 1957, zitiert in Huntemann, „Angriff auf die Moderne", 1966, S. 116
15 Professor Dr. Rohrbach, „Naturwissenschaft, Weltbild, Glaube", 1967, S. 94
16 Professor Dr. Morris, „Evolution im Zwielicht", 1966, S. 71
17 Zeitschrift des Bibelbundes „Bibel und Gemeinde", 1964, Heft 1, S. 23
18 Professor Dr. Morris, a. a. O, 1966, S. 71—73
19 Professor Dr. Schaaffs, „Christus und die physikalische Forschung", 1966, S. 277
20 Professor Dr. Rohrbach, „Naturwissenschaft, Weltbild, Glaube", 1967, S. 77
21 Dr. Ing. Hitzbleck, „Wunder im Naturgeschehen", 1962, S. 43—44
22 Kaempffert, „Grenzen der Erkenntnis", 1954, S. 112
23 Dr. Ing. Hitzbleck, a. a. O., S. 91
24 Schüller, „Weltmacht Atom", 1947, S. 545
25 Aus „Zeit im Querschnitt", Januar 1939
26 A. Sommerfeld in „Süddeutsche Monatshefte" Bd. 18/1921 (Zitat in Lüscher, „Die letzten Zeiten und das inspirierte Wort", S. 157)
27 Ing. A. Niklitschek, „Wunder des Kosmos"

28 Hornauer, „Das Neueste", 1953, S. 80
29 Willy Ley, „Drachen, Riesen", 1953, S. 156
30 Dr. Ing. Hitzbleck, a. a. O., S. 60—64
31 Everest, „Zufall oder Plan?", 1959, S. 10—13
32 Professor Dr. Wilder Smith a. a. O., S. 14
33 Dr. Heinz Woltereck, „Das Tor zur Seele", 1951, S. 52
34 Darwin, „Die Entstehung der Arten", S. 229 (übersetzt von Carl W. Neumann 1963)
35 Professor Dr. Wilder Smith, „Problematik der Descendenzlehre", S. 18—19
36 Dr. Paul Müller, „Schöpfung, Wunder, unsichtbare Welt", S. 179
37 Jauncey, „Naturwissenschaft auf den Spuren Gottes", 1964, S. 107
38 Professor Dr. Portmann, „Biologische Fragmente", S. 10 (zitiert in Hubmer, „Was wird aus dieser Welt?", 1966, S. 23)
39 Professor Dr. Portmann, „Vom Ursprung des Menschen", 1965, S. 64—66
40 Hubmer, „Was wird aus dieser Welt?", 1966, S. 24
41 The Fresno Bee, 20. 8. 1959, S. 1B
42 Jauncey, a. a. O., S. 53
43 Dr. Heinz Woltereck, „Das unwahrscheinliche Leben", 1950, S. 103
44 Professor Dr. Wilder Smith, „Naturwissenschaft und Kanzel", 1960, S. 53
45 Professor Dr. Morris, a. a. O., S. 76—77
46 Professor Dr. Morris, a. a. O., S. 72
47 Professor Dr. Morris, a. a. O., S. 71—73
48 Professor Mag. Hellmuth Frey, a. a. O., 1938, S. 141
49 Professor. Mag. Hellmuth Frey, a. a. O., S. 143
50 Ceram, „Götter, Gräber und Gelehrte", 1949, S. 310
51 Jauncey, a. a. O., S. 71
52 Readers Digest, August 1950, S. 121 ff.
53 Dr. Rimmer, „Sonne stehe still", Pflugverlag Langenthal, S. 34
54 Professor Dr. Wilder Smith, „Naturwissenschaft und Kanzel", 1960, S. 69—71
55 Jauncey, a. a. O., S. 76
56 Thurmann, „Das Wunder ‚Kanon' — das Wunder ‚Gemeinde'", 1962, S. 39
57 Professor Dr. Sellin, „Einleitung in das Alte Testament", 1933, S. 113
58 Hornauer, a. a. O., S. 93
59 Professor Dr. Schaaffs, a. a. O., S. 197
60 Professor Dr. Zahn, „Das Evangelium des Matthäus", 1905, S. 92
61 Professor Dr. Schaaffs, a. a. O., S. 161 und S. 170
62 Rienecker, „Das Evangelium des Matthäus", 1953, S. 26

63 Professor Dr. Zahn, a. a. O., S. 106
64 Keller, „Und die Bibel hat doch recht", 1955, S. 343
65 D. Schneller, „Kennst du das Land?", 1930, S. 35—36
66 Professor Dr. Rohrbach, „Geboren von der Jungfrau Maria", 1964, S. 26 und 28
67 Ernst Zimmer, „Umsturz im Weltbild der Physik", 1959, S. 257 und 258
68 Jauncey, a. a. O., S. 34 und 35
69 Dr. Rudolf Liebig, a. a. O., S. 107
70 Huntemann, a. a. O., S. 125
71 Professor Dr. Rohrbach, „Die biblischen Wunder", 1954, S. 10
72 Professor Dr. Rohrbach, „Die biblischen Wunder", 1954, S. 12
73 Martin Haug, „Er ist unser Leben", Nr. 2495
74 Dr. Paul Müller, a. a. O., S. 16
75 Dr. Rudolf Liebig, a. a. O., S. 105 und 106
76 Dr. Rudolf Liebig, a. a. O., S. 95

Begriffserklärung

Amphibien:	Lurche, im Wasser und auf dem Lande lebend
Archäologie:	Altertumskunde
Astrologie:	Weissagung aus den Sternen, Sterndeutung
Astronomie:	Sternkunde, Wissenschaft von den Himmelskörpern
Astrophysik:	Zweig der Astronomie, der die physikalischen Verhältnisse und den Aufbau der Gestirne erforscht
C-14-Methode:	Radio-Karbon-Methode zur Altersbestimmung von organischen Stoffen, deren Gehalt an radioaktivem Kohlenstoff C14 im Laufe der Zeit meßbar abnimmt. Innerhalb von etwa 5600 Jahren ist C 14 zur Hälfte zerfallen
Dimension:	Ausmessung, Ausdehnung. Ein Körper hat drei Dimensionen (Länge, Breite, Höhe)
eindiffundieren:	gegenseitige Durchdringung und Mischung mehrerer Gase oder Flüssigkeiten
Entropie:	Maß derjenigen Energie, die für die Arbeitsleistung verloren ist. Das Entropiegesetz kann auch Gesetz der zunehmenden Unordnung genannt werden
Evolution:	Entwicklung als Entfaltung vorgebildeter Anlagen
extrapolieren:	bekannte Tatsachen auf ein unbekanntes Gebiet anwenden
Fossilien:	versteinerte Überreste von Lebewesen
Hominiden:	menschenähnliche, bereits ausgestorbene Tiere
immateriell:	nicht stofflich, nicht körperlich, geistig
Infiltration:	Einflößung, Eindringen

interstellar:	zwischen den Sternen befindlich
ionisieren:	elektrische Ströme aussenden
Konjunktion:	Stellung zweier Himmelskörper auf dem gleichen Längengrad
Konstellation:	nahe und auffällige Stellung zweier Sterne am Himmel
Kybernetik:	wissenschaftlicher Forschungszweig, der steuernd und regelnd in die Technik, Biologie und menschliche Gesellschaft einzugreifen sucht. Als Ziel besteht die Formung des Menschen ums Jahr 2000
Opposition:	astronomische Bezeichnung für die Stellung zweier Sterne, deren astronomische Längen sich um 180 Grad unterscheiden
Paläontologie:	Wissenschaft, die sich mit den versteinerten Tier- und Pflanzenresten vergangener Erdzeitalter beschäftigt
Parapsychologie:	Wissenschaft zur Erforschung rätselhafter Erscheinungen und Fähigkeiten, die den Rahmen der Psychologie und Physik überschreiten
Phänomen:	Erscheinung
potentiell:	möglich, wirkungsfähig
Primaten:	höchste Ordnung der Säugetiere
Psychologie:	Wissenschaft von der Seele und den Bewußtseinsvorgängen
Relativitäts-Theorie:	Erweiterung und Vollendung der klassischen Physik, Erkenntnis, daß die Raum-Zeit-Welt gekrümmt ist und daß die Gesetze der klassischen Physik nicht überall gelten
rudimentär:	nicht entwickelt, verkümmert
Sediment:	Ablagerung von Schichtgesteinen, die als Bodensatz im Meer oder in Binnenseen entsteht

TELOS-Taschenbuchreihe

(in Vorbereitung, Erscheinungstermin voraussichtlich noch im Jahre 1971)

1 Werner Penkazki, Wo ist Gott?
2 Dale Rhoton, Logik des Glaubens
3 Fritz Schmidt-König, Gib acht auf diesen hellen Schein
4 Anna Lawton, Frauen dienen Christus
5 W. McDonald, Wahre Jüngerschaft
6 Ernst Modersohn, Sieghaftes Leben
8 Jörg Erb, Nichts kann uns scheiden von der Liebe Gottes
10 Anton Schulte, Es gibt einen Weg zu Gott
11 Konrad Zeller, Dorothea Trudel von Männedorf
13 Watchman Nee, Der normale Mitarbeiter
14 Watchman Nee, Sitze, wandle, stehe!
17 Elisabeth Seiler, Berufen und geführt
18 Elisabeth Seiler, Tut seine Wunder kund
19 Elisabeth Seiler, Wunderbar sind seine Wege
20 Wilhelm Gottwaldt, Wissenschaft contra Bibel?